U0103015

博客思出版社

戳牛皮這檔事

蕭福松 著

目錄

目錄

貳、司法篇

肆、交通篇

伍、社會篇

臧否時事　撥亂反正

林金田序——

人之相知貴在知心，和福松兄摯交超過三十年，友好情誼維持至今。我任職省文獻委員會副主任委員時，他是台東縣選委會組長，常到省府開會，文獻會就在省選委會後邊，不是他來找我，就是我去找他。

他經常深夜一個人從台東開車到中興新村，趕第二天的會議，沒有很好體力和堅強毅力是做不到的，這樣的精神也顯現在他的人生觀和處世態度上。

福松兄能力很強，做事積極明快，歷練過很多要職。曾當過記者、縣長機要秘書、市公所主任秘書、教育局副局長，每一職務都幹得有聲有色，在台東政界知名度頗高。

也因這番經歷，讓他更了解基層民眾的需要，也清楚政府施政盲點所在，這些都成了他往後著書立說、臧否時事的豐富題材。

福松兄很早就退休，卻是退而不休，他在大學任教，又獲報社邀聘擔任主筆，忙碌的教書生活和老本行的時事評論，讓他如魚得水，盡情揮灑。每每看到福松兄發表在報章的評論，客觀中肯、論述有據，極富批判精神，不難看出他的出發點，都是在為民「發聲出氣」。

尤其難得的是文章通順好讀、淺顯易懂，若非有相當的社會經驗和人生閱歷，豈能適切地道出人民的心聲。

《戳牛皮這檔事》集結了福松兄歷年發表在報章上的評論，篇篇精彩，在揭露「現象」同時，也直指問題癥結。不管是政治、司法、教育、交通、社會等議題，讀來都令人耳目一新，彰顯福松兄敏銳的觀察力及冀圖撥亂反正的用心。

當前兩岸情勢緊張、國內政治紛擾、社會對立、是非黑白不分、邪理歪論充斥，亟需像福松兄這樣的讜論諍言來導引匡正。《戳牛皮這檔事》一書，提供很多的事例素材，值得大家仔細研讀思索。

福松兄已出版多本散文集、評論集，每本都是雋詠、饒富哲思的佳作。古有三不朽，「立德、立功、立言」，福松兄就是最好的例證。

《戳牛皮這檔事》是他第十二本著作，更是菁華中的菁華，有幸先拜讀，深感榮幸。真佩服我這位好友的才思文筆，立論精闢，言所當言，不愧是讀聖賢書，有內涵、有格調的謙謙君子。在其大作付梓之際，特綴數語以為序。

文化部前政務次長　林金田

魏俊華序——

戳破牛皮的春秋之筆

蕭副座是我相交多年的老朋友，他曾在本校教育系等諸多學系擔任講師十七年，我在國立空中大學台東學習中心擔任中心主任時，也請他協助授課多年，他講課引經據典，生動活潑，很受學生的歡迎。

因為他擔任過台東縣教育局的副局長，所以我都習慣以「副座」稱之而不名。

蕭副座是報社記者出身，博學強記、敏思多聞，下筆行雲流水、文采斐然自不在話下，而他經歷過縣長機要秘書、市公所主任秘書、縣府教育局副局長等職務的歷練，更豐富了他的人生經驗。「世事洞明皆學問，人情練達即文章」，所以在他筆下敏銳的透過花花世界的表象看到事物的本質，直抒胸臆。

我也喜歡寫作，國小是參加作文比賽的主力代表，高中時的國文老師很欣賞我，常給我滿分。那時開始投稿和參加寫作比賽頗有表現，大學想唸中文系，但因為父親強烈反對而作罷。

就業後也曾向報社投過幾次稿，但從沒被編輯青睞過，所以對於蕭副座在報社的文稿產量豐富，真是由衷的佩服。

我很喜歡看他的文章，因為他都以淺顯通俗的文字，言簡意賅地描述發人深省的道理，娓娓道來，去偽存真，不啻「書生意氣，揮斥方遒」，讓人讚嘆一位現代知識份子對於現實社會的熱情和普羅大眾的關懷；在《戳牛皮這檔事》書中，我們就感受到這樣的情懷。

這本評論集是蕭副座將他多年來發表在各大報讀者投書、民意論壇的文稿，彙編成書，並分成政治、司法、教育、交通與社會等五類，共計一二五篇，每一類篇都具特色。如政治篇的針貶時事、司法篇的鞭辟入裡、教育篇的言出為論、交通篇的分析透徹，與社會篇的層次清晰等，在在下筆成章，文思敏捷，令讀者讚嘆折服或心有戚戚焉。

書名《戳牛皮這檔事》亦具巧思，牛皮至厚難戳，但「書生報國無他物，惟有手中筆如刀」。透過作者的春秋之筆，一針見血地戳破諸多的假象與迷思，雖談不上挽狂瀾於既倒，扶大廈於將傾，但筆下抒發作者的胸臆與情懷，反映出對國家社會的殷殷期待。

春光終將消逝，年華終將老去，唯有文人立言的生命智慧永遠沉澱心靈。且讓我們翻開書頁，跟隨蕭副座一起細細咀嚼那些言簡意深的微言大義。

國立台東大學特教系教授兼行政副校長
國立彰化師範大學教育博士　魏俊華

藍清水序——

因愛而寫

老同學蕭福松老師又要出新書了，他將稿子寄給我並囑咐我寫幾個字，這麼尊榮的任務，當然樂意效命。

世新畢業後各忙各的，也就逐漸失去聯絡，能夠再聯繫上，還是拜臉書之賜，因為老同學經常在報章雜誌針砭時弊，並貼在臉書上，於是我們便又連絡上了。

福松發表的文章面向有政治、司法、教育、交通與社會等，都是一些發生在我們的身邊，與我們生活息息相關的社會現象，或者是感人、溫馨的故事。所以，稱他為社會觀察家亦不為過。

蕭老師的文字淺顯易懂，但是提出來的議題，卻常能直指問題核心，頗能引起讀者的共鳴。

福松能看到問題之所在，是因為他當過記者，有記者必備的新聞鼻，所以能敏銳地挖掘出他人不以為意卻不能不重視的問題。

能將問題剖析清楚且提出對策，這便有賴淵博的知識及豐富的人生閱歷。這樣還不夠，還需要有一顆愛人、愛鄉、愛國家的心。

因為一個人若沒有愛心，對身邊的人、事，會視若無睹；一個人若沒有鄉土觀念，則對地方事務，便會冷漠以對；一個人若不愛國家，也就不會願意將經驗與智慧貢獻出來。認識福松兄的朋友，應該都會同意福松兄對國家、對人、對鄉土是充滿愛心的。

很高興能在老同學的新書出版之前便先睹為快，相信讀者翻閱本書時，也會有深獲我心的感覺。是為序。

桃園市中壢社區大學校長
國立政治大學民族學博士
廣州中山大學歷史學博士

藍清水

陳英俊序——

微觀到宏觀　細看社會百態

「副座」是我向本書作者每天相互問候早安的稱謂，個人何其有幸，能夠獲得才華洋溢、文學底蘊豐厚的「副座」之邀請，為新書《戳牛皮這檔事》撰序，內心實感欣喜。

個人有幸先於眾讀者窺得本書堂奧，綜觀各篇文章標題饒富直白之哲理與智慧，內容更是切中時弊，嗣乃連夜拜讀本書精彩全文，令人愛不釋手，欲罷不能。

本書內容不論從政治現象（亂象）到官場現形、從司法實務與民眾法律情感的距離（悖離）、從教育現場實況的觀察與反思、從交通政策與執行的莞爾寫實、從社會生活態樣的深情紀錄。

如此多元面向的寫作風格，均源自於作者對社會人群的關心，並以豐富的人生歷練，發揮敏銳的觀察力及理路清晰的敘述技巧，評論發生在我們生活周遭的一切，是一本相當難得的社會觀察大作。

閱讀文章的價值，除了引發讀者具有不同思考面向的啟示外，更重要的是學到如何去客觀看待並非盡如人意的各種社會現象。

而《戳牛皮這檔事》此書，不但讓讀者看到日常生活中的社會百態，亦彷彿進入精采絕倫的時空隧道，對於生活及世事之態度，添增諸多開示與智慧，著實發人深省。

且在本書文章中各個議題之深度及廣度的評論，或是微觀到宏觀的視角，不論從政治篇、司法篇、教育篇、交通篇、社會篇，都是篇篇論述到位，深厚之文筆功力，令人深感佩服。

欣逢「副座」卓著《戳牛皮這檔事》新書付梓之際，個人忝以此序與各位先進分享讀後感。深信此書將帶給讀者既豐富又值得細細品味咀嚼的文化饗宴，至盼不負所託。

台灣新住民親子關懷協會理事長
國立東華大學教育博士
陳英俊

自序——

「噹」荒謬政策 「戳」瞎吹牛皮

唸的是新聞，也當過記者，一直以媒體人自居，期許執春秋之筆，臧否時事，為民發聲出氣。可後來發現這想法太天真，有點像不自量力的唐吉軻德，畢竟蚍蜉難撼動大樹，只能自嘲狗吠火車、罵爽的。

個性使然，很痛恨虛偽造假之事，更厭惡矯情做作之人，偏現實世界裡，講「你是我心中最軟那一塊」、「我們不賣花只賣美麗」、「跟空氣對話」的人還真不少。

路明明可以直著走，偏要拐彎抹角；馬路開通再限速，分明就是整百姓；入學考「素養」，卻不教學生尊師重道；法官微罪重罰，卻幫殺人犯找免死理由……。種種荒謬怪象，教人看了不生氣也難。

從新聞界進入公務界，再轉學術界，見識諸多高官專家，就像跑江湖的「尪樂仔仙」，說的是一套，做的又是另一套。

問題是當他們「自認英明」的 idea 變成政策時，就是人民災難的開始，教改、司改、促轉、反核、同婚、廢死、科技執法，莫不如此。

政策本是回應民眾的需求、解決問題，並著眼國家長遠發展。然太多用溫馨口號包裝出來的政策，不是為選舉炒短線，就是搶人民荷包。

「物不平則鳴，士有怨而發」實在看不下去，就撰文投書報紙批判，被採用刊登，證明論述有理，並非無的放矢。這些年來，看不慣就噹，忍不住就戳，不知不覺，竟也寫了三、四十萬字，先後出版《微言集》、《非常社會》、《觀點連線》等書。這本《戳牛皮這檔事》，則是彙整近年投書國內媒體的評論專集。

《戳牛皮這檔事》一方面發掘社會問題，一方面揭露政治假面。專「噹」無腦荒謬政策，專「戳」瞎吹政績牛皮，讓人民知道政客如何玩弄政治？

本書承文化部前政務次長林金田兄、國立台東大學副校長魏俊華教授、中壢社區大學藍清水校長、台灣新住民親子關懷協會陳英俊理事長賜序。他們都是博士俊彥，真正的才學之士，蒙其讚聲認同，倍增光彩，在此致上由衷感謝！也希望藉此書的出版，讓讀者多關心公共議題，別被政客、專家唬弄了。

作者

壹、政治篇

力阻公投通過　綠怕「昨天的手打今日的我」

蕭福松／台東大學教師（台東市）

民進黨善變，就像孫悟空七十二變一樣，苗頭不對馬上來個「超級變變變」。管它謊話連篇或睜眼說瞎話，是華麗轉身也好，是髮夾彎也罷，只要能達到目的就好。

在政治鬥爭場上，要翻雲覆雨、使卑劣伎倆，都無可厚非。可是面對自己的百姓，如果也拿這一招對付，就顯得「不仁」了。

年底四大公投案，原本並沒有引起很大關注，直到陳柏惟被罷免，民進黨才警覺到「民意」好像不那麼馴服。

萬一公投全過關，豈不是打臉蔡政府諸多「高瞻遠矚」政策，所以傾全黨之力，要阻止公投通過。因此，當國民黨喊「全民推公投，才是愛台灣」，民進黨便回以「公投如過關，就是害台灣」。

政黨對罵對嗆，百姓已司空見慣，可是當蔡總統喊出「四個不同意，台灣更有力」時，民眾才意識到，原來民進黨「不喜歡公投」。但公投不是民進黨在野時極力推動的嗎？難道「蔡公投」蔡同榮推動公投是推假的？

國人對公投法也許沒有深刻認識，但對「鳥籠公投」一詞一定不陌生。二〇〇四年反軍售及二〇〇八年入聯、返聯公投，均因投票率未過半而沒通過。

為打破鳥籠束縛，民進黨在二〇一七年修公投法，將通過門檻下修，連同提案門檻、連署門檻一併調降。到二〇一八年九合一選舉合併公投投票，公投十案通過七案，讓民進黨顏面大失，又動修公投法腦筋。

「公投綁大選」原是民進黨主張，但因二〇一八年公投失利，便再次於二〇一九年修法，以「案件眾多、題目複雜、排隊動線紊亂、超過截止投票時間」等理由，將大選與公投脫鉤，讓公投難通過。

公投法反覆修訂，讓國人看清民進黨「機關算盡」真面目，這也讓老百姓認識到民進黨的本質，其實就是「變變變」、「騙騙騙」。

年底四項公投，基本上是對蔡總統食安、能源政策的質疑，對民進黨政府自然形成壓力。如今民進黨極力阻止公投通過，彷彿怕拿昨天的手打今日的我，徒暴露其「黔驢技窮」窘態。

二〇二一年十一月六日　聯合報《民意論壇》

需要那麼多「都」嗎？為一個人政治前途修法？

蕭福松／臺東大學教師（台東市）

新竹市長林智堅拋出「大新竹合併」議題後，民進黨總召柯建銘說，合併後升格並不困難，只要修地方制度法第四條，將直轄市人口一百廿五萬人，修為一百萬人，甚至趕得上明年選舉。

話說得輕鬆，卻予人「削足適履」、「因人設事」感覺。當然，以民進黨在立法院人數優勢，通過絕對沒問題，問題是攸關國家長遠發展的國土規畫，可如此嗎？小小台灣需要那麼多「都」嗎？

馬英九時代，原希望藉由「新國土規畫」均衡區域發展、縮小城鄉差距，進而提升城市競爭力。奈何只盼著願景，卻忽略政治現實，台灣一夕間冒出六都，堪稱「世界之最」。

小小台灣擁有六個院轄市，除了製造A咖、B咖縣市「一國兩制」的可笑現象外，實看不出六都升格後有多大改變。

升格是為創造更現代化、更具競爭力的城市，在繁榮經濟同時，也帶給市民更優質的生活環境。可是升格後的六都，除了蓋大樓、造捷運、鋪輕軌、放煙火，不停地撒錢辦活動外，市民認同感、榮譽感、幸福感有增加嗎？更甭說偏鄉地區破舊景象依然。

林智堅市長任期即將屆滿，此時拋出縣市合併，不無為自己下一步設想的政治考量；但攸關國家未來發展的長遠規畫，能因一人政治前途而改變，甚至修法嗎？

從制度面看，台灣目前六都仍不嫌多嗎？新竹縣市合併，不管是納入苗栗縣或是修法降低升格標準，都會引發一連串政治效應。

台灣幅員不大，縣市毗鄰，除都會區外，生活圈差異其實不大。理論上，地方可依自己的需求及特色，做不同面向的發展，人民也可藉地方選舉，保有參與公共事務的空間，如果全升格院轄市，果真好嗎？

從現實面說，六都和十六縣市最大爭執點，在統籌分配稅款比例。政府如果英明，應著眼修訂「財政收支劃分法」，讓資源分配更公平，而不是把國家行政區當「政治大餅」，大家搶著分食。

二〇二一年九月九日　聯合報《民意論壇》

笨蛋，問題不只有剪樹

◎蕭福松（國立台東大學教師）

台東縣政府修剪老樹過頭，將原本枝繁葉茂的老茄苳樹剪成癩痢頭，被批評後，縣府表示會儘快擬定修剪要點。為了修樹再訂定修剪要點，屬典型的「頭痛醫頭，腳痛醫腳」。老樹被修剪成癩痢頭，問題不在是否依法行政或照章行事，而是有無落實行政指導和行政監督。

縣府行政處將修剪樹木的工作委託給環保局執行，環保局再發包給未具修剪專業的清潔公司處理，一切合法，然問題就出在承辦單位只負責發包，後續怎麼修剪，既沒提示也沒溝通更無監工。便宜行事的結果，就等著出包。

行政機關依照「政府採購法」及SOP程序辦理營繕採購，基本上沒問題，但為何很多公共工程品質頻受民眾詬病，甚至質疑官商勾結，最大原因就在執行單位對施工廠商沒有「嚴格要求」。

現在行政機關很多業務不是委外就是發包，承辦人員幾乎只負責發包作業，真正應注意，也是最重要的指導、監督、查察等環節反被忽略，以致偷工減料、馬虎施作情形隨處可見。

「行政指導」和「行政監督」都是「行政學」理論，卻是落實政策執行不可或缺的重要概念，可藉以強化公務員的行政規劃能力，並督促廠商同步提升專業能力。

假使不重視此關鍵過程，僅在文書作業上著力，不僅徒勞無功、虛耗公帑，良好公共工程品質的理想，恐永遠無法實現。

二〇二〇年六月二十三日　自由時報《自由廣場》

願景回響／綠化　政府要加把勁

蕭福松／台東大學教師

聯合報系願景工程報導台東縣民賴金田貸款買山種樹，只為把大地還給自然，並幫野生動物開一家大餐廳。這位賴桑憑著一股愛護自然的熱忱，默默地種樹，既豐富生態，也為「保護生態，永續發展」做了最好實踐，令人感動又佩服。

相對於熱心人士在山上廣植樹林的實際行動，政府在平地的植栽綠化工作，似更應加強落實。受全球暖化及溫室效應影響，氣候異常、氣溫升高已成常態，種樹被視為降溫、減緩暖化有效手段，年初在瑞士舉辦的達沃斯世界經濟論壇便倡議「一萬億棵樹計畫」。

每年植樹節都有植樹紀念及贈送樹苗活動，但往往流於形式，不管是機關首長種下的樹，或發放給民眾的樹苗，始終未見成樹成林。至於最常被選作行道樹的黑板樹及小葉欖仁，每逢颱風季節，不是腰斬，就是被砍頭，不但破壞市容，對城市美綠化更是很大的諷刺。

「為未來種一棵樹」的願景工程，讓國人認知到種樹的重要性，也看到民眾為這塊土地付出的努力，擁有更多資源的政府實應在植栽綠化作為上更加把勁。

對不適宜充當行道樹的路樹該移則移，慎選具美綠化效果，又能調節氣候的本土樹種，特別應避免種樹再砍樹，及換首長就換樹種的浪費之舉。

二〇二〇年四月二十三日　聯合報《民意論壇》

再談植樹節

◎蕭福松（國立台東大學教師）

明天就是植樹節，適逢去年澳洲野火肆虐，及年初在瑞士舉辦的達沃斯世界經濟論壇（WEF）倡議「一萬億棵樹計畫」，如何廣植樹林，以減緩地球暖化議題，再度引起重視。

台灣雖未遭遇如澳洲野火及印尼、亞馬遜熱帶雨林的破壞問題，但除加強遏止濫墾、濫伐，以保護山林水土外，平地的植栽綠化，也不容輕忽。

植栽種樹能美綠化環境，幫助水土保持、含蓄水源，更具調節氣候、淨化空氣功能，地方政府及林務單位每年都會配合植樹節贈送民眾樹苗，近二十年來，發放的樹苗不下千百萬株。

理論上，應已遍地綠蔭，但為何都市水泥叢林及柏油路面散發的熱氣，仍舊是民眾揮之不去的夢魘？「熱島效應」固為主要原因，但植栽綠化的做法，顯也需要檢討。

黑板樹及小葉欖仁因樹形漂亮又成長快速，常被選作行道樹，卻未考慮小葉欖仁每到秋冬，落葉常造成水溝阻塞，黑板樹則因質地脆弱，在颱風季節來臨前，便面臨被「砍頭」或「腰斬」的命運。

而最近盛開的木棉花及黃花風鈴木，雖吸引很多民眾拍照打卡，但木棉花架會影響呼吸道，掉落的花苞也易讓人車打滑，要砍除、修剪?或保持現狀?同樣讓地方政府為難。

WEF倡議「一萬億棵樹計畫」，讓全球重新重視種樹的重要性，國內植栽綠化的觀念與做法，實應跟進調整。對不適宜充當行道樹的路樹該移則移、該除則除，「慎選」具美綠化效果，又能調節氣候、淨化空氣的本土樹種，避免年年重複砍頭、腰斬的老戲碼，尤應杜絕「換首長就換樹種」的浪費之舉。

植樹節教育民眾保育森林、鼓勵種樹是好事，但受限於環境空間，僅能以盆栽栽種，美化有餘，綠化則不足，如能規劃在社區巷弄或空地集中栽種，美綠化效果或許會更好。

二〇二〇年三月十一日 自由時報《自由廣場》

官僚奪人命——政府開會簽公文　就是不處理危機

蕭福松／台東大學教師

因為南方澳斷橋事件，平時檢修維護的必要性，才引起重視；因為犧牲了兩名年輕消防員性命，農地違建工廠問題才引起注意。

聯合報報導，全台多達十三萬處農地違建，超過一．三萬公頃良田已變成水泥或鐵皮違建。

橋樑崩塌和農地違建是兩回事，但反映的都是政府官員的怠惰、不負責任心態。很多橋樑風光剪綵，之後再無人聞問，平時該有的檢修維護，馬虎行事，都得等到有人喪命，才會引起重視。

農地違建旱地拔蔥，政府官員不可能沒看到，卻裝作不知道。荒謬的是，竟還可接水接電，充作工廠、倉庫、宮廟、道場、賭場，如果沒人檢舉，就當作沒這回事，有人檢舉也未必有拆除動作。

一位朋友每天早晚散步，發現人行道上有兩輛遺棄機車，過了一年半載還在原地，早生鏽斑駁，占用人行道也妨礙觀瞻。

他熱心向市公所舉報，市公所要他向警察局反映，警察局要他找監理站，監理站則要他找環保局，兜了一大圈，機車原地不動，朋友心都涼了，也不再雞婆。

最近他發現兩輛機車不見了，以為哪個單位良心發現，主動清理；結果是人行道改建，施工單位直接用怪手把機車推到旁邊草叢裡，眼不見為淨。這是行政機關一貫推諉卸責的惡習，寧可花時間開會、簽公文、應付考核、評鑑，卻不願落實根本問題的解決。

「危機處理」有一重要概念，就是在危機還沒形成前，能洞燭機先，防患未然。可惜，我們官員都是在出了事後，才想到要亡羊補牢，但早已付出慘痛代價。如果政府官員能多做些基本務實事情，少些表面功夫，也許能減少很多憾事發生。

二〇一九年十月六日 聯合報《民意論壇》

公教警「不敢退」為五斗米「折壽」

蕭福松／台東大學教師

一位小孩唸教育系的家長問我：「孩子今年畢業，當老師的機會有多少？」我說：「微乎其微。」他問：「為什麼？」

我簡單告訴他兩個原因，一是少子化，很多偏鄉學校裁併或教師超編，老師「只出不進」；二是受年改影響，想退的不敢退，沒有人退休，哪來缺額？雖然各縣市偶有開缺，但僧多粥少，怎麼跟已超過十萬的流浪教師及歷屆畢業的學長姐拚？

教育系學生出路是個問題，教師高齡化更是個嚴重問題。沒有家長願意孩子給阿公、阿嬤級的老師教，也不是每個老師都能維持良好身心狀態，當負荷到達一定臨界點，卻因有所顧慮而不敢退休時，試想還會有教育熱忱及教學品質嗎？受害的會是誰？

警察同樣出現「高齡化」現象，聯合報報導，受年改影響，老警察不敢退，年輕警察進不來。影響所及，警專減招、特考錄取率降低，很可能製造「流浪警察」。

警察從狂缺到過剩，全拜年改之賜。年改只見樹不見林，又隱含鬥爭、製造階級對立意圖，動機不單純，手段更粗暴，尤其缺乏高瞻遠矚，就造成現今公教警「高齡化」的問題。

高齡警察不敢退，和高齡老師一樣，都擔心「晚景不保」。一個月少二萬多元，不是小數字，為養家活口、繳房貸車貸，只好勉力繼續「賣命幹」。

但不是每個人都頭好壯壯健康一百，一旦身心不適，勢必得在「保命」和「繼續幹」之間做出抉擇。

選擇保命，退休金一定減少很多，選擇繼續幹，也得確保健康無虞，對已身心俱疲卻仍得負擔家計的老警察來說，這是何等殘酷的兩難決定。

政客一天到晚喊「承諾」、「承擔」、「負責任」，卻為何讓推動國家機器運轉的軍公教警消人員，陷於「為五斗米折壽」的困境？

警察高齡化問題，同樣早已反映在教育現場，老的不退，新的怎進得來？新的進不來，人事如何新陳代謝？哪來新血活力、創新創意？

民進黨政府在年改之初，極力誇大「不年改國家會破產」，事實證明「這個政府」寧可花很多錢在錯誤政策上，卻吝於給曾為國家社會出力奉獻的退休人員一絲照顧。

年改美其名為下一代，但「老的不退，新的沒機會」，剋扣軍公教退休金，卻賠上了下一代的出路和國家未來競爭力，因小失大，莫此為甚。

自認很會改革的「這個政府」，真的是為人民、為國家好嗎？

二〇一九年四月一日　聯合報《民意論壇》

搶過鹹水鍍金　小心自我矮化

蕭福松／台東大學教師

最近政治人物流行一種趨勢，即接受館長的「認證」及到美國「朝聖」。前者是為接地氣，後者則有過鹹水、鍍金漆之感，能否因此拉抬身價選情，不得而知，但捧紅館長、堅信美國是老大，則是不爭的事實。

政治人物藉搭網紅的直播便車，很快衝高人氣，但網紅是否就代表民意，卻不無疑問。自蘇貞昌院長要求閣員扮網紅開直播談政策、和民眾搏感情以來，有幾位閣員試播，結果不甚理想，即連陸委會主委陳明通和台北市議員高嘉瑜的直播，也是一個「慘」字。高嘉瑜甚至說，她平常開直播，最起碼都有上千人看，和陳明通的直播，卻只有一五〇人，連帶拖垮她的網路行情。

時下當紅的館長，日前嗆韓國瑜及高雄市政府是垃圾，雖然事後發現是誤會，也趕緊道歉「我比較垃圾」，但「勇敢說出人民心聲」的豪氣，頓時消風不少。

為了討好網民，包括總統、行政院長、部會首長都忙不迭地吃小吃、抱寵物玩偶、扮溫馨親民形象，以為這樣就能拚經濟、扭轉「討厭民進黨」的形象，恐怕小看人民的智慧。至於政治人物的爭相訪美，則堪稱「絡繹於途」。

訪問名稱容或不同，但不管是參訪、考察、演講或過境，動機都十分明顯，一是希望獲得美國的認可支持，二是藉由美方的接待規格或會面層級，證明自己的政治行情，並且相信這樣做，絕對有助拉抬身價及選情。

台灣有意問鼎總統大位者，在選前赴美訪問，說直白點，除拿來「驕內」外，實難避「自我矮化」之嫌，更難脫被美國掌控的命運。

選中華民國總統，卻飄洋過海去美國，增廣見聞、廣交朋友也許是真的，可是所表現的不正是對美國老大的迎合扈從？無異承認台灣就是美國的「細漢仔」，被當棋子、籌碼、馬前卒，也就不足為奇。

美國對台態度冷熱不定，考量的永遠是美國自身利益，特別在對抗中國的戰略布局上，台灣政治人物爭相赴美訪問，不啻表明期待美國卵翼，繼續和對岸搞對抗。

只是必須提醒，台灣二〇二〇年選的是中華民國總統，恐才是有意總統大位者應嚴肅深切思考的議題。

二〇一九年二月一日 聯合報《民意論壇》

他們／我們　民進黨和人民對立

蕭福松／大學教師（台東市）

蔡英文總統到宜蘭輔選時說，推動年金改革一定會得罪人，「這次選舉我們選得比較難」。

蔡總統到宜蘭輔選，面對低迷選情，她說，「只是他們現在比較生氣，這次選舉我們選得比較難」。

「他們」指的是誰?當然是指被改革的那些人，因為是既得利益者、自私者、沒有理想者、不顧下一代者，所以被改革很生氣，「我們」呢?指民進黨。

用「他們」、「我們」作區分，不正說明民進黨政府和人民是站在對立面。

蔡英文身為總統兼民進黨主席，改革時，說得義正詞嚴，滿口公平正義;選舉時，卻他們、我們做區隔。

試想，這樣的國家領導人會是全民總統嗎?心中還有人民嗎?念茲在茲的是國家利益、人民福祉?還是該黨利益、一黨之私?

民進黨完全執政，從政治現實面看，如果政績好，很多執政縣市其實都可以躺著選;搞到烽火四起，百姓不滿和怒火，全隨「韓流」從星星之火變成燎原之勢宣洩，難道僅因不理解政府「改革」苦心?還是被「賣菜郎」的花言巧語所騙?

蔡英文沒說的真相是，飯店倒的倒關的關、遊覽車沒人租、藝品沒人買、農漁產品銷不出去，假日店休、市面蕭條、不景氣景象，她真的沒看到？

當北漂議題發燒，凸顯找不到好工作、生意做不下去、過得很辛苦時，民眾會選擇給執政者教訓、還是繼續忍耐？

「肚子扁扁，也要投阿扁」時代已過去了，人民從政客身上，已覺悟到選舉口號不能當飯吃，越是滿口「民主價值」的人，越不遵行民主正義程序，人民還會相信支持嗎？

看到南部深綠地區民眾跳出來反民進黨，是不是像極了秦末的「揭竿起義」？

二〇一八年十一月八日　聯合報《民意論壇》

杜絕蚊子館　學學蔣經國

蕭福松／大學教師（台東市）

聯合報報導，列管的蚊子館有一百多處，排名第一的興達漁港，至今沒有一艘遠洋漁船入港；排名第二的台東焚化廠，至今沒有燒過一天垃圾。

這些因錯誤決策和樂觀評估，製造的閒置建築，浪費了二百多億元公帑。相對於老百姓為三餐奔波，時薪工資趕不上物價的窘苦，人民納稅錢那麼好花嗎？

政府政策，老百姓根本沒有置喙餘地，但繳納的血汗稅金，卻被拿去揮霍，怎不心痛？難道沒有所謂的「監督機制」把關嗎？

決策往往來自有權力者的「天縱英明」、「真知灼見」及「高瞻遠矚」，先總統經國先生推動的十大建設，不僅奠定台灣現代化基礎，也是促成台灣成為亞洲四小龍之首的最大動力。著眼未來，把錢花在刀口上的建設，才真正是福國利民，老百姓自感念在心。

但如果決策是出於意識形態的專斷偏執，想怎樣就怎樣，則錯誤的決策比貪汙還可怕。台灣很多重大建設，若非流於「畫願景」，便是淪為「分大餅」，老百姓迫切需要的未必做，主政者好大喜功的卻拚命做，一幢幢雄偉建築，最終都成了蚊子館。

巨資興建的蚊子館要拆可惜、不拆礙眼，老百姓看在眼裡，怎不喟嘆？至於「活化」、「轉型」、「再利用」，頂多就是拿來賣咖啡、搞文創、當展示館，有用嗎？

時過境遷，追究誰製造蚊子館，似無濟於事，重要的是不要再重蹈覆轍，尤須嚴防製造新蚊子館。不過，看看前瞻計畫、離岸風電及公墓種電，恐怕又將成新蚊子館的「惡靈再現」？

二〇一八年八月十九日　聯合報《民意論壇》

解讀聯合報民調／所謂改革 亂慌苦窮？

蕭福松／大學教師（台東市）

根據聯合報民調，大多數民眾並不認同蔡政府兩年來所做的決策和改革。弔詭的是，蔡英文在接受電台訪問時，竟只輕描淡寫回應「二〇一八是重要改革的支撐」。

換句話說，只要贏得年底九合一選舉，將證明她的改革方向是對的，但事實是這樣嗎？

每次走過市區百貨老街，看到幾個店家老闆呆坐在門口，失神地望著過往行人，卻沒有人入內光顧，看他們一臉無奈又無助的神情，我內心也是一陣酸楚。

這些店家都是一家人的經濟來源，當客人不上門，東西賣不出去，沒有現金收入時，生活怎麼辦？政府會幫助他們嗎？

從乏人問津的路邊小吃、攤販、店家到風景區攤商，以至待售的觀光飯店、民宿都是一個樣，蔡總統看到了嗎？

改革應是去蕪存菁、汰劣存優，可是一連串的改革，不但沒看到脫胎換骨、煥然一新，反看到越改越回去的「亂、慌、苦、窮」景象。

只能說，蔡總統，妳搞錯方向了！

二〇一八年五月十六日 聯合報《民意論壇》

行政追逐KPI，績效掛帥變「膨風」沉迷數字遊戲，淪穿新衣的國王

蕭福松／台東大學教師

國民黨基隆市長初選民調搞烏龍，問題出在數據誤植，固然是人為疏失所致，但民調的真實性如何，也不由人不起疑，因為都在玩數字遊戲。

KPI（數據績效評核指標）是評量管理工作成效最重要的指標，不僅學術圈及行政界喜歡藉以標榜績效，連因護照風波飽受批評的外交部，也急著推動KPI。

KPI被視為是檢視績效的萬靈丹，無論是教學評鑑、施政績效，都拿KPI當作檢視成果的唯一標準，讓原應務實推動的教育及行政大為走樣。

每年大張旗鼓的大學系所評鑑、教師評鑑，究竟發揮多少的「汰劣存優」功能？不無疑問。且不說資料是否造假，僅從短暫的駐留觀察及片面式的抽樣訪查，都極易造成考評的偏誤，且僅注重成效，忽略教育過程中，對學生起最大作用和影響的「人」的因素，包括教師的熱忱、關懷、愛心、耐心等無形的付出。

各式教育評鑑從年頭到年尾，從大學到小學，無一倖免，早搞得雞飛狗跳、天怒人怨，現在連行政也搞KPI，頗予人玩過頭味道。

政治人物熱衷政績績效的追求，「數字要漂亮」儼然成了一種魔咒。數字不好看、不漂亮，最簡單的方式，就是後面多加個0，或自動「倍數」成長，都是行政界公開的秘密，也是眾

所皆知的笑話，好笑的是，笑話還在繼續中。

施政要務實、落實、札實，是老百姓對政治人物的期待，也是政治人物對選民的承諾。但遺憾的，在「績效掛帥」的前提下，施政績效和成果，都變成「膨風」、「說大話」、「扯大謊」比賽。政治人物迷信數字、盲目追求ＫＰＩ，落得個個如同「穿新衣的國王」，怎不可笑？

為追求數字漂亮，行政人員只好不斷在數據上灌水、造假，正應了「上有所好，下必從焉」的官場陋習，豈是民主發展常態？

為檢視施政績效及教育成果，各種視導、評鑑、競賽、考核都有必要，但也應檢討簡化，避免流於形式或虛應故事，特別不要迷信ＫＰＩ。因為數字、數據是無法反映出人的熱忱、誠懇、負責、敬業態度。

如果行政效能沒提升、教育品質下滑、國家競爭力也衰退，就應好好檢討追求績效導向思維的偏誤。

二〇一八年二月二日　聯合報《民意論壇》

治國有夢想　說到能否做到

蕭福松／台東大學教師

新型領導理論中，有一理論叫「願景領導」，就是許人一個美麗的夢想，讓大家滿懷希望死命地去追求，能不能實現不知道，但起碼話講得很窩心、很好聽，要人不相信也難。

「我們不賣花，只賣美麗」，正是典型寫照。在台灣，最擅長運用美麗辭藻、講好聽話、強力洗腦的，除廣告企劃外，就屬政治人物了。

蔡英文說勞工最低薪資三萬元，是她心裡的夢想。這和她的經典名言「勞工是我心中最軟的那一塊」，頗有異曲同工之妙，聽起來都很溫馨很感人，但能否做到？是否口惠而實不至？不得而知。

正當勞團及青年學生上街抗議勞基法修惡之際，蔡英文拋出其夢想，一方面有安撫勞工、轉移焦點之意，一方面，則是說給企業老闆聽，我都把標準訂出來了，你們好歹也幫幫忙，共襄盛舉。

但顯然企業並不買帳，維持現狀已不易，哪有餘力調薪？何況一下子調漲至三萬元，莫非要企業老闆也做功德？

蔡英文執政後，推動多項改革，格調拉的很高，要讓台灣蛻變、擺脫不公不義，可實際狀況呢？

年改被英國「經濟學人」雜誌預言是「共貧社會」的開始；「一例一休」適合國營事業，

卻不適合各行各業，造成今天難以收拾的局面；「非核家園」理想高，但欲速不達，空汙充斥更讓民眾不滿；「轉型正義」、「促轉條例」都標榜正義，做的卻讓人有掀老帳、清算鬥爭之嫌。

提高勞工最低薪資至三萬元，主要還得看未來的經濟狀況，一旦超出企業負擔，不是外移，就是調漲產品價格，又造成物價上漲，對全民豈是好事？

「治大國如烹小鮮」意謂掌握重點、對應有策。如果國家領導人只有夢想，卻沒方向也沒步數，台灣未來實令人堪憂。

二〇一七年十二月二十九日　聯合報《民意論壇》

小英執政將滿周年　要把台灣帶往哪？

蕭福松／大學教師〈台東市〉

川普執政百日，重要立法掛零，政績也乏善可陳；再過廿天，小英執政將滿周年，似也是只見紛擾建樹少。

美國財大氣粗，足夠川普揮霍，台灣小，籌碼更少，禁不起蹉跎。最要命的是，一連串「非改不可」的改革，讓台灣社會遍地烽火。

民間怨聲四起，執政者卻依然充耳不聞，小英究竟要把台灣帶往哪裡？

根據日前民調，對小英政府的執政，只有卅五%民眾滿意，近六成民眾不滿意，意味完全執政的民進黨，並沒有如人民期待的更幸福更快樂，甚至掛一漏萬、瞻前不顧後的荒謬政策，讓人民看不懂執政將屆一年的蔡政府，到底能變出什麼新局來？

小英執政最大的特色，就是丟出議題，衍生話題，最後製造更多問題。

成立很多委員會，召開公聽會，包括司法國是會議，除了仰承上意、貫徹使命外，看不出有何宏觀計畫或治國良策？

民調雖像月亮，初一十五不一樣，然一葉知秋，就職未滿周年，民調就低落至此，意味著什麼呢？

二〇一七年四月三十日　聯合報《民意論壇》

執政者蠻幹　陷人民於水火

蕭福松／台東大學教師

年金改革最後一場座談會今天在台東召開，鐵絲拒馬早占據會場四周，警政署也調動保警支援層層戒備。一場要傾聽各界聲音、獲取共識的年改座談會，竟弄得如此劍拔弩張，很難想像其合理性、正當性究竟在哪裡？

年改會主事者對改革方案應是早有定案，辦分區座談只是「走過場」，完成程序而已，引發退休軍公教反彈不意外，難怪北中南東四場座談會，衝突抗議不斷。

民進黨上台後，展現最大的執政魄力，就在蠻幹、硬拗、橫柴入灶。不管是「一例一休」，還是「年金改革」，都是他們說了算，公平正義也喊得最大聲，可是實際做的，卻又是另一回事。

把退休人員個個都當作是健康優渥的「樂活族」，不想有多少人生病住院、要繳房貸車貸、要照顧小孩奉養父母，腰斬退休金，又不准兼職。

最荒謬的是，一方面狂砍軍公教勞農退輔金，一方面又要編列村里長年終獎金預算五億元，這種挖肉補瘡，苛扣退休人員保命錢給政府大方花的改革，怎教人心服？

一例一休搞得各行各業及百姓怨聲載道，年金改革也弄得退休軍公教憤懣不平，台灣天空可說愁雲慘霧、人民怨氣沖天，然民進黨政府依然淡定，可見心中根本無慈悲、無人民。

改革把台灣搞到天翻地覆、產業幾乎窒息、人民相互仇視、社會共貧的地步，還有理想、正義可言嗎？執政者自以為實踐理念的堅持，可能正是陷台灣於萬劫不復之地的開端。

二〇一七年一月十四日　聯合報《民意論壇》

官員求償國泰航／學和馬對話 於政務何益

蕭福松／大學教師（台東市）

若不是因為班機延誤，保訓會向國泰航空求償四十萬元，民眾還真不曉得政府高官是如此進修的。其中竟然出現「和馬對話」，對話目的是學習溝通技巧，如何面對民代質詢。照官員說法是，只要學會和馬溝通，和人溝通就不成問題，尤其是和民代溝通。照此邏輯，那麼「對牛彈琴」，只要牛聽得懂，人也一定聽得懂，是這樣嗎？

政府官員的溝通技巧，當然很重要，但若沒有與時俱進的能力和前瞻性思維，或不具了解民間疾苦的同理心，甚至缺乏真誠、承擔、負責之心，則學會和馬溝通又如何？一定得花錢，千里迢迢飛去芬蘭和馬對話嗎？

類似案例也發生在苗栗縣政府，日前舉辦主管體驗營活動，局處主管大玩划拳遊戲，稱之共識形成課程。

一個團隊如沒有堅強的領導、共同的目標和核心價值，及成員對組織的認同和向心力，則再多的研習，也不過是虛應故事，陪長官玩他喜歡的遊戲。

人民不反對政府官員進修，但希望是對政策擬訂、政務推動執行，有實質助益的，特別是觀念和思維方面的啟發，而不是為研習而研習。

二〇一五年九月十九日 聯合報《民意論壇》

路過國軍招募人才攤位

◎蕭福松（國立台東大學教師）

學校上週舉辦六十七年校慶運動會，路過國軍招募人才攤位，看到幾位學生在攤位前填問卷，好奇問：「要從軍報國嗎？」學生扮了個鬼臉悄聲地說：「老師，不是啦！是要摸彩啦！」我聽了好笑。

詢問一旁負責解說的軍官：「招募成效好嗎？」他搖搖頭，尷尬地苦笑，坦言招募工作很困難，因為沒幾個年輕人願意服志願役。

國防部雖極力配合馬英九的募兵政策，奈何成效就是不彰，於是祭出很多「好康」、「優惠」條件，包括加薪、可進修、可回家住宿，連房間都可隨意布置，搞不懂是「募兵」？還是募「背包客」？

且透過「誘因」招進來的志願役，是來享受美好待遇福利？還是接受訓練、磨練、鍛鍊，隨時準備犧牲性命上戰場打仗？

募兵搞到這種「只要你來，什麼都可以」的地步，凸顯政策的嚴重不當。

台灣面對中國的武力威脅，軍事防備絲毫疏忽不得，徵兵乃為必然。況以海、空軍科技軍種的特性，沒有長期的培訓，怎麼熟練操作、精進戰技？

廢徵兵制改為全募兵制，一是罔顧現實，忽略兵源短缺影響戰力的重要性；二是未評估少子化及民眾心理（能不盡義務就不盡義務）；三是輕忽服兵役過程對男子個人心智磨練、體魄鍛鍊，以至團隊合作、紀律服從的「養成」過程，對社會秩序有相當大的穩定作用。

現在民進黨提出「若執政，檢討募兵制」的規劃，不失是「亡羊補牢」、很務實的做法。另根據中研院民調，「有逾六成的民眾，贊成恢復徵兵」，都顯示募兵制並不被全民所認同及看好。

捨徵兵就募兵，不但剝奪年輕人「從男孩子蛻變成男子漢」的成長機會，也對國防戰力產生深遠影響，國民黨政府還要繼續強推嗎？

二〇一五年四月二十三日 自由時報《自由廣場》

倨傲柯P　官僚味蓋不住

蕭福松／台東大學教師

柯P就任台北市長不到一個月，左打建商右批前朝，把市政建設說得一無是處，看在曾努力付出的人眼裡，實在很不是滋味；甚至暗喻其中有弊端，更是一耙子打翻一船人。

柯P堪稱是當下政府首長中人氣最旺、曝光率最高的，他的快人快語、肢體動作，都是媒體焦點。大家喜歡看他政治素人坦誠率真的一面，喜歡聽他不拐彎抹角的直言，一掃官場給人虛矯客套的印象，且直搗問題核心的直言快語，都展現其「不囉嗦」的果斷魄力。

只不過，前朝決策有其時空背景因素考量，絕不能以現在的認知，或「自以為是」觀點，就率爾全盤否定，那只會讓市府官員如坐針氈、更難堪而已。

他要會見遠雄老董趙藤雄，一句「叫他到市府來談」，就讓人嗅出濃濃的官僚味。在會談結束，趙藤雄步出會議室前，禮貌性地對柯文哲鞠躬致意，柯P竟只是看一眼，未予回應。如此倨傲態度，恐不再是「柯P風格」、「柯神個性」，所能粉飾美化的。

政治素人表現自然率真的一面，有別於傳統官場的虛假做作，自令人耳目一新；為市民福祉，對建商「不假辭色」，也必然贏得喝采。但應知成熟的稻穗頭愈低，要「理直氣和」且要「待人以禮」，才能服眾，博得好感，也才能人和政通。柯P以效率、SOP自詡「酷吏」，顯非好事。

二〇一五年一月二十三日　聯合報《民意論壇》

募兵危機／募兵祭好康　鬧笑話、賠戰力

蕭福松／大學教師〈臺東市〉

「十二年國教」和「募兵制」，是馬總統的重大國家政策，然推出以來，反對者多，支持者少。不僅因其陳義過高，與現實脫節，早已悖離教育與國軍改革的初衷。

國人向有「好男不當兵，好鐵不打釘」的觀念，服兵役是盡國民義務，很少是出於保家衛國的偉大情操。就算現在經濟不景氣謀職不易，也絕少有人會把當兵視為就業選項。

國軍從「精實案」開始，歷經「精進案」、「精粹案」，到可能繼續推動的「精緻案」，看到的都是一步步在縮減國軍軍力。「精」到最後，可能就是「精光光」，一旦台灣面臨戰事，拿什麼禦敵、有可戰之兵嗎？

募兵制和十二年國教的變動模式，幾乎如出一轍。都是在動機、前提、主旨、目的被嚴厲質疑後，僅在枝節上費心補強、修門面。

募兵成效不彰，迄今只招到三成，國防部為達到目標，只好挖空心思，不斷祭出各種「優惠」、「好康」，包括可念研究所、可回家住宿、加薪、上下班制，甚至連軍士官兵的房間都可隨意布置，希望藉此吸引更多年輕人加入。

只是是否想過，透過「誘因」招進來的兵，是來享受美好待遇？還是接受訓練、磨練、鍛鍊，隨時準備犧牲性命上戰場打仗的？募兵制搞到這種地步，豈止面目全非，簡直就是慘不忍睹。若繼續勉力而為，不僅製造國軍笑話，恐國軍戰力也會賠上。

二〇一三年十二月十三日　聯合報《民意論壇》

世界第一肥的政府

◎蕭福松（作者現任教職）

希臘在爆發債務危機後，歐盟、歐洲央行及國際貨幣基金，都以要求裁撤公務員做為紓困的交換條件，逼使希臘政府不得不裁撤一萬五千名公務員（葡萄牙更將裁三萬名公務員），卻引來公務員上街頭抗議。希臘政府走到這般兩邊不討好的地步，可謂咎由自取，回頭看看台灣似乎也不遑多讓。

縣市政府在每一新任首長上任後，除任用自己人擔任要職外，更以各種名目大量進用臨編、臨專、機要人員。是否提升行政效能不得而知，但擴增員額、增加人事負擔卻是事實；比較近一、二十年來各縣市政府員額，幾成倍數成長，都不見上級單位制止或糾正。

行政院推動「組織再造」，將原來三十七個部會，精簡為二十九個部會，但仍是全球最多部會的國家。

與地廣人眾的中國二十七個部會、美國的十五個部會比較，台灣的政府組織顯得特別龐大臃腫，不過就兩千三百二十六萬人口，三．六萬平方公里的面積，有必要維持大而不當，又不見得有效能的「天朝威儀」嗎?

「新國土規劃」原規劃大台北、大台中、大高雄三都，希望達到區域均衡發展目的，奈何演變成「統統有獎」的情況。小小台灣擠了五都（明年桃園縣升格更增加為六都），又再度締造「世界第一」的大笑話。

六都成立，每都可增加兩千名公務員及警察員額，大幅增加人事成本；若再加上職等提升、俸給調高，「人事黑洞」不知伊於胡底？行政效能及競爭力會變得更好嗎？

政府一邊大喊公教年金改革，不改國家財政會破產，可是另方面卻大開公務員進用之門，實教人看不懂這究竟是什麼邏輯？

台灣只是個蕞爾小島，應是最適合「小而美」的政府組織。無奈改革缺乏決心、魄力，弄到「組織再造」形同玩「大風吹」遊戲，「新國土規劃」變成「大家都是都」的可笑現象。政府若不能見及此，繼續「瞎攪和」，台灣可能很快就會步上希臘後塵。

二〇一三年五月六日　自由時報《自由廣場》

改革老是改革別人

◎蕭福松（作者從事教職）

馬政府上台後積極推動「組織再造」及「五都升格案」，費了好大的精神和資源，結果並沒有理想中的理想、精簡、效率，能否提升行政效率及競爭力，很讓人充滿疑慮。

更因為缺乏高瞻遠矚的深謀遠慮及整合能力，造成一邊談組織精簡，一邊談增加員額的矛盾情形，形同幫破車胎打氣，徒然白費力氣而已。

「組織再造」規劃得冠冕堂皇，但事實上並沒有達到機關整編、瘦身的目的。各部會在本位主義、都認為本身業務很重要的情況下，頂多就是縮編幾個無關緊要的局處，或裁撤約聘雇臨時人員做為交代。

研考會能做的就是開會、研討、擬計畫，對真正需要整併改革的部會根本使不上力，以致出現了改名卻無法掛牌的「交通及建設部」、很重要但沒人要的「氣象局」，以及撤了招牌但員工仍在原處上班的「青輔會」。荒腔走板情形，大失組織改造原味。

考試院長關中大聲疾呼要改革公務員退休制度，從七五制改為八五制，又將實施九〇制，認為公務員太早退休，會造成政府財政沉重的負擔。

從國際趨勢及社會公平正義面看，立意很好，可是面對「組織在造」後勞保局、健保局將改為公務機關，多增加近千名公務員，及桃園縣升格為「第六都」後，要增加二千名公務員，有如前頭緊關大門，後面忙開小門的可笑現象。

規劃不週延，配套也不完整，行政院與考試院又不同調，各搞各的，實在讓人搞不懂為何要改革？改革的成效在哪裡？

台灣幅員不大，卻擠了「六都」，彰化縣還等著候補呢！但究竟能縮小多少城鄉差距？改善多少民眾生活？提升多少競爭力？不無疑問。

「五都升格」案就像一場鬧劇，要回頭已不可能，但繼續往前走，只會加劇政府財政的惡化及中央與地方的對立，始作俑者則是馬英九。

馬總統力推「組織再造」及「新國土規劃」，只著重改革理想，卻忽略衍生的效應。一如天真的小孩，一心只巴望天邊的彩虹出現，忘了自己正踩在泥濘地上。弄到改革走樣、全民看笑話地步，無異是搬石頭砸自己的腳——咎由自取。

二〇一三年一月五日 自由時報《自由廣場》

檢視「政治人品」的選舉

◎蕭福松

政客為何不能成為政治家，因為少了風範和人品。政治家想的是下一代，政客想的是選票，識見、氣度不同，層次、高度自大不同。

候選人投入選舉，都希望在成為政治人物後，能造福民生、名留青史，受人永遠懷念尊敬。可是為何在嘗到權力滋味後，便成了「嗜權獵錢」的政治動物？關鍵其實就在「道德良知」的人品。

對政治人物來說，權力、地位、權勢、影響力，遠比甚麼都重要，一旦失去政治光環，就甚麼都沒有。因此，既有的要繼續保有，沒有的則要努力擁有，選舉就成了晉身政治舞台的唯一關卡，過得了就變身政治人物，從此鹹魚翻身。

選舉是由人民自主選出其心目中的理想人選，候選人除談政見、抱負外，更應表現風度格調。可惜在自詡「亞洲民主之光」的台灣，每逢選舉，就彷彿陷入集體瘋狂，候選人相互叫囂、揭瘡疤、潑髒水，旁觀者也跟著起鬨，宛如扒糞大賽。

諸多選舉經驗顯示，正派選舉很難博得選民的青睞，反而謾罵、醜化、斷章取義、無中生有最具吸引力，說得越像回事，越能爭取選票，賄選買票再同時跟進，惡質的選舉文化於焉產生，卑劣的政治人品也由此養成。

九合一選舉雖是地方選舉，但重要性和動員程度不下總統大選，選舉招數更不斷翻新，以往傳統的陸戰已升級成網路空戰，更易編製散播假訊息。選舉中的栽贓、抹黑、偽造假事件，就像釋放煙霧彈，常讓人不辨真假，而這正好考驗選民的智慧判斷，也檢視候選人的政治人品。

選舉當然是為了勝選，這無可厚非，但即使做不到「揖讓而升」，最起碼也要保持風度，不惡言相向，可是實際很難。對手造勢大會唱「夜襲」，批評是軍國主義復辟，自己造勢場合播「希特勒進場曲」，就說是多元選曲。寬以律己，嚴以待人，選民會認同嗎？

台灣的惡質選舉文化，從來就不是民主政治的好教材。自許選舉專家的操盤手，運籌帷幄、調兵遣將，如果光明正大打，雖敗亦猶榮，但假使用的是奧步，縱然勝之亦不武。不過選情急了，再顧不了啥仁義道德，只是天理昭昭，就算機關用盡，也可能人算不如天算，徒枉費心機。

選戰進入最後衝刺，支持者熱烈回應，藝人、文人、仙人、學人等也不甘寂寞，爭相搏版面強出頭。有假哭幫倒忙、瞎掰前世因果、神預言海報露敗相的，不一而足，令人發噱。

選舉是一時的，不管勝負，都是選民的抉擇，候選人及支持者千萬別為了選舉，失了心也賠了人品格調，不值得。

二〇一八年十一月十七日「東方論壇」

只顧清算的執政　難讓國家正常發展

◎蕭福松

台語有句俗諺：「牛廄裡惡牛母，嘸蓋嗷。」意謂公牛不敢在外面和其他牛鬥，只敢在自家牛廄對母牛兇，不算好漢。對照台灣當前內外情勢，頗有這樣的味道。

國人一向勇於內鬥怯於外鬥，年輕人互看不順眼便揪人打架，囂張的不得了，要他們去當兵打阿共，又閃得遠遠的，典型的匹夫之勇。

但這是小民逞兇鬥狠之舉，無關宏旨，可是如果連政府也來這一套，不在國家發展大計上籌謀因應，只會以自訂的法律，去懲罰追殺「非我族類」，則和怯於外鬥的公牛有何兩樣？

中共戰機三不五時繞台兜圈，名為戰訓，實為突破第一島鏈，更為犯台預探門路。面對中共戰機侵門踏戶，台灣除了監控，甚麼都不能做也不敢做，然面對川普構想中的「印太戰略」，又搶著表態迎合，巴不得儘快把台灣列入夥伴。

前立委沈富雄說的好，台灣最大的困境，是距離天堂太遠，距離大陸太近。離天堂太遠，指萬一台海發生戰事，神仙也幫不了忙；離大陸太近，則考驗領導人的智慧，要和平共處還是兵戎相見？

雖然蔡英文採取和馬英九同樣的「維持現狀」策略，但內涵卻完全迥異。

馬英九是「不統、不獨、不武」，蔡英文則不承認九二共識，擺明你搞你的「中國夢」，我做我的「台獨夢」。

唬弄的「維持現狀」，不僅讓兩岸關係惡化，也讓外交幾無用武餘地，更讓台灣陷入中共戰機頻頻繞台的威脅氣氛中，但顯然政府並無因應對策。

一廂情願地期待美國售我先進武器，更盼望美艦泊台，以之為護身符，但就算美國樂意，也得顧慮中共反應。另方面，獵雷艦決定不造了，大鵬部長說不影響國軍戰力，並且明年起，軍事訓練役不再分發部隊。募兵不順，徵兵取消，國軍怎麼走下去？

台灣對外，一不敢和中共對嗆對幹，二不敢和美日據理力爭，只能當「豎仔」。

可是對內卻步數多多且招招狠，一個黨產會，三兩下就把國民黨搞得傾家蕩產，連婦聯會、救國團、國語日報都不放過，「促轉條例」更讓國民黨永世不得超生。

水利會長改官派，全台十七個水利會三千億元資產，立馬收歸國有。立法院通過《組織犯罪條例》修正案，新黨發言人王炳忠等立即被依「國安法」逮捕移送，警告意味相當濃厚，看還有誰敢跟中共眉來眼去。

一連串既像「綠色恐怖」，又像「新威權」誕生的舉措，讓人見識到執政黨對內聲色俱厲，對外怯弱無能的一面。

一個只顧政黨本身利益，卻罔顧人民權益及國家長遠發展的執政，勢必讓台灣陷入更大的危機。執政黨在竊喜所向披靡時，或許要謙卑地領會「禍兮福所倚，福兮禍所伏」道理吧！

二〇一七年十二月二十三日「東方論壇」

偏誤歷史觀　造就偏激斬首行動

◎蕭福松

「斬首行動」一詞，首見於大陸對台領導人採取的突擊行動，頗有蛇打七吋、擒賊先擒王味道。

最近東北亞情勢緊張，北韓頻射飛彈，美國忍無可忍，揚言要以無人機對付金正恩，也是斬首行動。但說歸說，到目前為止，除賓拉登被斬首外，還不見有人人頭落地。

倒是在台灣，時不時就有人腦袋被潑漆、蓋垃圾袋，甚至被砍、被鋸的情事發生。一個號稱民主開放、自由文明的社會，怎會經常出現不理性的野蠻行為？

可笑的是，被羞辱、霸凌以至砍頭的對象，都不是活人，而是作古已久的歷史人物，更無稽的是，竟都是打不還手、罵不還口的銅像。

這些矗立在市中心、公園、校園、風景區的銅像，都有其歷史背景及紀念意義，或感念功德，或緬懷功績，不管喜歡與否，都是歷史的一部分。

弔詭的是，在台灣，歷史正被重新改寫，藉「轉型正義」之名，試圖切割翻轉歷史，都讓人民對歷史產生錯亂分歧，進而影響對國家民族的認同，乃有偏激之舉，以破壞銅像表達不滿。

只是老在歷史悲情中扒挖，除自找痛苦外，尤顯愚昧。拿不會吭聲、無法還手的銅像出氣，更是典型的阿Q心態。

位在烏山頭水庫旁的八田與一銅像被人斬首，引起國人注意。但不是頭像能否趕在五月八日八田與一生日當天回復的問題，而是這種「你砍我神像，我砍你偶像」的互砍現象，是怎麼形成的？背後有什麼深仇大恨或歷史糾結？是什麼樣心態的人，會有此偏激行為？

歷史的功過，本來就很難蓋棺論定。台灣四百年來，歷經西荷、明鄭、清廷、日本、國民政府等不同政權治理，都留下政績，也留下血腥鎮壓。但這是歷史的必然，如果拿現在的「民主人權」觀點去檢視，勢必沒有一個值得歌頌肯定的。

以此論之，拿屍骨已寒的作古之人，當清算聲討的目標，就像「在夢裡找鬼打架」一樣，真是活見鬼了。不僅無助歷史還原與族群和諧，反更製造衝突對立。

八田與一是日本殖民的象徵，蔣公是威權統治的象徵。前者對台灣農田水利有貢獻，但不免有為其母國提供糧食資源的質疑；後者退守台灣，雖曾有白色恐怖，但若非當時的堅決反共，台灣早被中共統一，哪輪到一些自命「民主先知」的激進人士，妄論台灣的歷史功過，甚至恣意斬首毀損銅像？

在政客挑撥分化下，有人拆除蔣公銅像，主張重建日本鳥居、神社，錯亂歷史的，何止是砍銅像的人，政治人物不正是帶頭作亂嗎？

四一九反年改人士要被嚴辦，三一八反服貿學生卻撤告無罪？毀損八田銅像的被譴責，砍蔣公銅像的却沒事？

政府如此「內外有別」，就別怪老百姓要常走上街頭，互砍對方銅像了。

二〇一七年四月二十二日「東方論壇」

誰來決定縣市長的施政排名？

◎蕭福松

某知名雜誌公布縣市大調查，二十二個縣市長名次大翻轉，有人進步，有人退步。對這樣的調查結果，有的縣市長喜上眉梢，有的表示會繼續努力，有的根本不予理會，堅持走自己的路。

縣市長對自己的辛苦施政，被媒體拿來評點，坦白說，心理一定很不舒服，偏媒體又得罪不起，說好說壞，只好由它了。

問題是誰有權力、資格，來評定縣市長施政的好壞？這樣的評比有意義嗎？媒體自居「第四權」，代表人民監督政府的施政，每年定期對縣市長進行施政滿意度調查，就形同是對縣市長施政的考核。有趣的是，這種自比評審的模式，儼然已成媒體自抬身價、建立權威的有效模式。

縣市庶政包羅萬象，媒體做施政滿意度調查，隨手捻來名目就一堆，看是要宜居、幸福、友善或競爭力，可自訂也可接受委託客製。對擅長創造新名詞的媒體來說，這些都不是問題，只要再飾以經濟力、環境力、教育力、社福力、施政力、競爭力等包裝，就十足學術化、專業化了，要人不信服也難。

調查過程中，不管是隨機抽樣電訪或問卷調查，有無代表性？是否全面周延？都值得商榷。或如這家雜誌所稱，他們是透過對很多專家學者的問卷調查，綜合各種評量指標，得出此客觀性、科學性的結果。

但是否客觀？或先射箭再畫靶？是從老百姓的切身感受，去評價縣市長的施政良窳？或從公關角度，去決定縣市長排名？都不無疑問。

根據歷年來該雜誌的「縣市長施政滿意度大調查」及「幸福城市大調查」，不難發現，被封「金牌」或「五星級」的縣市長不知凡幾。但細看這些被策封加冕的縣市長，果真實至名歸、名實相符？恐怕未必。

好些縣市長好大喜功，為展現執政魄力，不斷藉興辦大建設、大活動，以增加曝光率、提高知名度，媒體也不吝吹捧，專輯特刊洋洋灑灑，盡是歌功頌德。

等到人下台了，才發現搞的是煙火施政，弄得債台高築，爛攤難收尾，而當初為其幫腔、拉抬聲勢，甚至造神的媒體，轉身又去編造另一個政治奇蹟，寧非怪事？

再者，每個縣市的環境、條件、資源都不同，個別面臨的狀況也不一樣，縣市長施政的風格、方向、重點和動機也截然不同。以單一學術性標準，去評量大小、型態、內容完全不一的施政，豈謂公允？難怪有縣市長嗤之以鼻、不以為然。

話說回來，縣市長施政好壞，民眾心裡最清楚，感受最深刻，由其為縣市長打分數，理應最客觀，最能反映施政良窳的真實面。由媒體基於公關行銷目的所做的調查評選，難免予人商業動機的質疑，特別當雜誌社老板頒獎給獲獎縣市長時，尤顯突兀。

二〇一六年九月十七日「東方論壇」

貳、司法篇

兒子告老子　法官管太多？

◎蕭福松（作者為台東大學教師）

自由時報報導，高雄吳姓男子不滿就讀高中兒子曠課一百多節，氣得用拳頭揍兒子，兒子不爽被打，告老爸家暴，吳男被法院判處有期徒刑三個月。因違反「兒童及少年福利法」，不得易科罰金，但可上訴。

這個「兒子告老子」的判例，前所未有，也讓家裡孩子正處青春期的家長心驚驚，萬一哪天管教孩子不當，不管是口語或肢體的，都可能被孩子一狀告上法庭。法律保護孩子免受不當對待，是值得肯定，但介入家庭管教的做法，是否允當？卻值得探討。

就讀高一的兒子，唸不到一學期就曠課一百多節，顯然逃學的成分居多，站在家長立場，沒有不擔心的。孩子不在教室上課，多半是在校外交到壞朋友，接下來，很可能被幫派吸收或淪為詐騙車手。

家長收到學校寄來的曠課通知單，在「養子不教父之過」傳統觀念，及「恨鐵不成鋼」心理壓力下，很少能理性、冷靜地和孩子溝通。萬一孩子再頂嘴，或態度頑劣，出手教訓勢無可避免。

如因此獲罪，不僅親子關係會愈疏遠，也可能毀了孩子一生。因為連當父親的都管不了他，還有誰管得了他？或許最後就只有進監獄被管一途。

從教學現場看，學生曠課很少是因為經濟因素，反而是沒興趣、不想唸的原因居多。雖然教育單位、校外會、社福團體很用心，也很努力地想找回中輟生，但不諱言，找得回來的，自然會回來，不想回來的，再怎麼苦口婆心、好言相勸，也是喚不回來。

父親出拳管教兒子的行為或許過當，也違反「兒少法」，但法律不應只講法，也要衡情論理、兼顧現實。

照此案例，父親管教兒子被判三個月徒刑，但「不受教」的兒子會因官司勝訴，從此不再曠課嗎？他會因自己的曠課，造成父子「對簿公堂」而生羞愧之心嗎？甚至眼看父親入監服刑，心裡會內疚嗎？

如果以上預想的結果皆非，就不得不令人憂心，「有樣學樣」將成今後孩子告家長的常態。孩子不是家長的財產，孩子有獨立的人格權，這些都不容否認，但在管教方面，法律似應有更大的融通空間。否則，老師對頑劣學生不能處罰，家長對不受教孩子不能管教，個個都成了無法無天的孫悟空，受害的會是誰？

這個孩子贏了官司，卻嚴重傷害了他老爸的心。這孩子可能失去親情，也失去自我反省、成長的機會，則未來付出更大代價的，不只是他個人，更是家庭和社會。

二〇二二年十月十三日 自由時報《自由廣場》

總統特赦　仍難解決的問題
悲劇兩案再現「生不如死」的患者與家人之痛苦

◎蕭福松（作者為大學教師，台東市民）

七十九歲陳姓老翁照料罹患先天性重度腦性麻痺的女兒長達五十年，因不忍女兒痛苦，前年悶死女兒後輕生獲救。台北地院合議庭認為陳翁是「一位充滿關懷與愛心的父親」，兩度減刑後，從輕量處法定最低刑度兩年六月。國內腦麻團體則齊聲呼籲蔡總統特赦陳翁，總統府表示將對本案進行審慎研究。

今年六月，台北地院另一判例：六十九歲蔡男照顧中風妻子三十年，不忍她「每天抽筋哀號，生不如死」，在醫院用塑膠袋悶死妻子。辯護人定調他是「慈悲謀殺」（mercy killing），檢察官認為犯案動機可憫，法官也以符合兩個減刑事由，判刑兩年六月。

兩案共同之處，都是照顧者不忍臥病者長期受病痛折磨，為幫其解脫，不得不出此下策。法官同情照顧者無奈的悲慘境遇，給予「法外開恩」，民間團體亦為其求情，然面對「求死不能」的長期臥病者，究應研議立法幫其解脫？還是任其自生自滅？政府實應予正視。

一回到醫院探視罹患骨癌的長輩，看護正在幫他按摩，他直叨唸力道不夠。我說換我來，使勁地幫他按摩了十多分鐘後，他方才覺得舒服。感嘆說：「我發病時全身難受得很，吃止痛藥根本沒有用，很想一死了之，省得痛苦，也讓家人少受罪。」

我聯想到有癌症患者，因受不了癌細胞侵蝕之苦，在醫院跳樓自殺，不正是這般心情？

一位朋友父親車禍傷及頸椎，全身癱瘓，意識清醒卻無法開口講話。友人說，每次看到父親眼角噙著淚水，想說話卻說不出口，他就心如刀割。他說：「政府都允許同婚及通姦除罪，為何不讓生不如死的病患安樂死？」

朋友並非不孝，而是不忍心看老父親眼睛睜得大大的，卻不能動也無法言語。那種生不如死的痛苦，對臥病者來說是折磨，對照顧者更是煎熬。

前體育主播傅達仁生前飽受癌症之苦，積極推動安樂死合法化，惜未獲支持，不得不於二〇一八年六月，自費飛往瑞士安樂死。

安樂死主要爭議，在「如果是自己按下按鈕的，那是自殺；如果是醫師幫忙執行的，就是協助自殺。」都牽扯到醫學倫理和法律問題，沒人敢碰觸。

然現實中，仍有很多依靠維生器材延續生命的植物人及重症患者，他們本身及家屬正陷於「無限期」的病痛折磨及照顧壓力泥淖中。政府是否可站在人道立場，認真考慮安樂死議題，讓不想苟活的臥病者有尊嚴地離去，也讓背負沉重照顧壓力的家屬得以解脫。

二〇二二年八月二十日 自由時報《自由廣場》

人民可有拒絕擔任國民法官的權利？

◎蕭福松（作者是台東大學教師）

「國民法官法」明（二〇二三）年初即將上路，今年八月底前，各地法院將辦理國民法官模擬活動。好笑的是，桃園一〇一歲因重度失智住安養中心的張姓老婦，卻連續三次收到她被桃園地院抽到要擔任國民法官的通知。

張婦女兒除以掛號信函告知母親狀況外，也打電話到法院反映，都未獲回應。日昨再收到桃園法院通知，要張婦八月十六日上午到法院報到，以進行國民法官選任程序，讓張婦女兒直呼「太離譜」。

筆者也收到台東地院公文，謂業經審核，列名「備選國民法官複選名冊」中。不解的是，早在去年首次收到國民法官初選通知時，即在意願調查回函中，明確勾選「無意願」。不料仍收到列選通知，不知是作業有誤？還是要趕鴨子上架？

個人無意願參與國民法官制度，主要是自忖非法律專業，也不想蹚世俗的是非恩怨渾水；再者，以國內司法審判現況，各審法官對同一訴訟案件，尚且有南轅北轍的判決，欠缺法律實務經驗的國民法官，究能提供多少「卓見」，不無疑問。

司法審判是嚴謹的辨證過程，關係當事人間的權益糾葛，實不是空有熱忱就可擔綱，更不能靠「抽籤」來決定國民法官人選。筆者有自知之明，不想當花瓶，也不想幫倒忙，自是婉拒，表明無意願參與。

然司法院印製的「國民法官制度」Q&A宣傳單，其中第三題：「我可以拒絕擔任國民法官嗎？」

回答是：「原則上不能拒絕擔任國民法官，除非是年滿七十歲長者、現職為老師或學生、或有不得已之情形。」

筆者擔心，萬一不幸被抽中又拒絕參加的話，是否會被拘提或科以刑責？抑或可在心不甘、情不願情況下，行使「緘默權」？

憲法規定人民有依法律納稅、服兵役義務，卻沒有「必須」擔任國民法官的義務，「不能拒絕擔任國民法官」，豈不是強人所難？

二〇二二年六月三十日 自由時報《自由廣場》

法官「性器接合」奇談

◎蕭福松（作者為台東大學教師）

「蓋棉被純聊天」曾被譏諷是恐龍判決，如今看來，倒顯得當年法官有先見之明。台中有人夫偕小三出遊，被老婆帶徵信社到場抓姦，拍下二人在車內裸露下半身、上下交疊緊貼對坐的畫面。

法院認為，二人雖侵害妻子配偶權，但從照片看，難認定「有性器接合」的性行為。無獨有偶，高雄也曾發生類似案例。一位醫生帶女病患到摩鐵洗鴛鴦浴，還自拍留念，被醫生娘查看手機發現提告，法官判無罪。無罪的理由，照片只能證明他們在一起洗澡，無法證明他們有在做甚麼？

法律講求證據，法官說的也沒錯。照片顯示二人下半身裸露、上下交疊緊貼對坐，也許正在練功或修歡喜禪，判無罪，有理！

至於洗鴦鴦浴照片，只能證明有在一起洗澡，並無性器接合的證據，判無罪，也有理！從法的立場看，必須「性器接合」才構成通姦事實，這是法的原則。但就常情來說，男女沒事會窩在車內脫褲對坐練功嗎？要洗澡，家裡就可以洗了，幹嘛非到摩鐵不可？

這種飲食男女情事，用膝蓋想也知道「下一步」會做甚麼？

法官別具卓見，既保障人權，也符應「通姦除罪化」精神。只是如此一來，是否更助長婚外情氾濫？以「性器未接合」不構成犯罪的說法，恐怕只有法官認同，社會大眾難以苟同。

法律雖無保障婚姻幸福之責，但起碼應善盡維護婚姻價值、維繫家庭倫理及社會道德的責任。否則配偶出軌，「傷心人」就只能到城隍廟找城隍爺哭訴了。

二〇二二年六月十三日 自由時報《自由廣場》

球棒隊橫行　法官竟還「情堪憫恕」

◎蕭福松（作者為大學教師，台東市民）

自由時報「司法話題」，昨大幅報導台中地院對「球棒隊」給予輕判的新聞，輕判理由是「情堪憫恕」。

正如持反對意見的律師所言，對被告等五人持球棒砸店傷人，還噴漆吐檳榔汁，實看不出「客觀上，有足以引起社會大眾同情之處」。

法官或許引用刑法第五十九條規定「犯罪之情狀，顯可憫恕」，不過筆者眼拙，怎麼看都看不出「暴力滋事者」，客觀上有可以讓人理解、同情之處。

持球棒聚眾，對特定對象的店車恣意砸打，若說心中尚有一絲良心，或眼裡還有一點法紀，可能連鬼都不相信。以「球員」犯後態度良好、並與被害人達成和解，就給予輕判，都小看了專以「逞兇鬥狠」為能事的幫派份子，其潛在的惡性暴力本質。

法官基於「修復式司法」考量，給予犯罪者輕判，或許合法，卻不合常情常理。何況任何判決都會形成判例，也會對社會「隱而不顯」的犯罪行為，產生一定程度的「嚇阻」或「鼓勵」作用。

給予動輒砸打的球棒隊輕判，並無法扭轉街頭盛行的砸打歪風，更不可能叫「球員」從此放下球棒、立地成佛。

球棒隊橫行街頭任意砸打，已造成民眾相當的恐慌，也給維護治安的警方帶來極大的壓力。理論上，當以設法遏止、消弭這股歪風為要務，司法尤應扮演強力掃蕩的支持角色。如果前面警方嚴打，後面法官卻輕縱，就如同前門抓狼、後門縱虎，球棒隊橫行砸打歪風怎消弭得了？

法官有佛心是好事，但慈悲心、憐憫心應是用在善良百姓身上，藉著司法伸張正義、表彰公理、保障權益，而非反其道，憐憫同情起犯罪者，令人匪夷所思。

尤應思考，當司法的天秤往「不正義」的一方傾斜時，人民的權益是被犧牲的，公理正義是被拋在一旁的。

想像被害人面對一群凶神惡煞闖進屋內凶狠砸打的畫面，就算被害人願意和解，但肉體遭受的傷害，以及內心極度的驚嚇恐懼陰影，豈是和解就可撫平消除？

面對法官「情堪憫恕」的見解，也只能無語問蒼天，怎會相信司法呢？

二〇二二年五月九日 自由時報《自由廣場》

請法官別當菩薩了

蕭福松／台東大學教師

吸毒殺母案無罪判決，再掀國內社會安全網不足話題，令人心有戚戚焉。

上「社會領域概論」時，學生問甚麼是社會安全網？我解釋那是一種概念，就像馬戲團表演空中飛人，下面必須張掛安全網防墜。具體講，就是社會支援系統的整合，包括鄰里街坊的彼此關心照顧、警民合作、社會救助、醫療照護，也包含教育、司法等的協同。

我問學生：「社會安全網最大的破洞是甚麼？」學生答：「司法。」我問為甚麼，學生回：「司法沒有發揮維護公平正義的功能。」

也有調皮學生說：「滿城盡是神經病啦！」又有學生接腔：「都有教化可能啦！」引來哄堂大笑。

學生玩笑反映國人普遍對「思覺失調」及「有教化可能」這兩詞被法官濫用的無奈。從現實論，以眼還眼、以牙還牙的「應報思維」，的確不合時宜，但就算法官「自由心證」，也要依據法律、兼顧天理人情。法官受命坐上法庭，就應扮演好「怒目金剛」角色，而不能以「慈眉菩薩」自居。

「社會安全網」不應只是空洞名詞，老百姓要求政府的並不多，只希望能免於暴力威脅。如此卑微要求，大氣魄政府看到了嗎？

二〇二〇年八月二十二日　聯合報《民意論壇》

太上皇　打著正義牌去蔣

蕭福松／台東大學教師

促轉會代理主委楊翠被質疑不適格，或許為了挽回面子，於是提出新台幣改版、軍營去銅像、中正紀念堂儀隊撤出三案。

表面理由冠冕堂皇，是為了「轉型正義」，但其實大家心知肚明，就是為了去蔣化。促轉會是個很怪異的組織，成立動機就很可議，組織及職權又彷彿「太上皇委員會」。要定國民黨有罪，國民黨就得俯首就戮，要央行改版鑄新幣，央行就得乖乖聽命，要軍營去除蔣公銅像，國防部就得遵行。

一個拿著雞毛當令箭的非法組織，竟能超越行政院，越權指揮政府機關做它想做的事，寧非怪事？對號稱「亞洲民主燈塔」的台灣來說，實是極大的諷刺。

二〇一八年十二月二十日　聯合報《民意論壇》

吸食大麻量刑過重　治亂還是添亂?

◎蕭福松（作者為國立台東大學教師）

大麻是否除罪?尚未有定論。但廣受年輕族群青睞，吸食愈來愈普遍，卻是不爭的事實。因屬二級毒品，一旦被查獲，不論初犯累犯、情節輕重，量刑都在有期徒刑五年以上。為此，大法官會議做出解釋，認量刑過重，有違憲法比例原則。

大法官基於比例原則，希望給「犯行輕微」或「顯可憫恕」者自新機會，用心自值得肯定，但如何認定?標準為何?卻是個難題。

實務上，不但增加檢警查緝難度，就審判來說，也必因見解不一，衍生更多的爭議。特別是此解釋，明顯低估犯罪者的心理動機及人性取向，極易蒙混法官，造成誤判。

少量毒品就可讓人輕易上癮，吸毒者為解毒癮，任何傷天害理的事都幹得出來，很多犯罪都和毒品有關，不能因為犯罪者只持有少許大麻種子或幼苗，便以「微罪」視之，輕忽犯罪者更強烈的犯罪意圖。

有心犯罪者，早就把法律及道德拋在一邊，倘若尚有一絲善良羞愧之心，必不致走到害人害己地步。毒品犯罪獲利可觀，又豈會在意人死活?顯見起心動念，才是決定是否犯罪的關鍵。

因此，不管是一顆大麻種子，或是一株大麻幼苗，都是吸毒、販毒的源頭，源頭不斷，勢難遏止毒品的蔓延。

制定毒品危害防制條例，目的在防止毒品擴散，也嚇阻潛在的虞犯，藉重刑阻斷其犯罪念頭。如果因大法官的「網開一面」，勢必鼓勵心存僥倖者更加放手一搏，大麻種成功了，可發一筆財富，即使被查獲了，也是輕罪，何懼之有？將更助長毒品氾濫。

防毒如同防疫，最怕有缺口，為種大麻者減輕其刑，就像為他們開了一道方便之門，只怕防堵不成，缺漏更大。

古云：「不治已病治未病，不治已亂治未亂」，大法官釋字第七九〇號解釋，在反毒大作戰上，是治亂？還是添亂？令人費解。

二〇二〇年三月二十四日 自由時報《自由廣場》

反毒應從建立拒毒觀念開始

◎蕭福松

台灣的詐騙技術和毒品輸出享譽國際，堪稱另類「台灣之光」，檢警調雖然費力查緝偵辦，但司法的鬆懈，根本起不了震懾作用。詐騙和毒品繼續危害社會，事實已不是治安或國安問題，而是嚴重危害下一代的健康成長。

行政院反毒行動列車深入校園、社區及偏鄉進行宣導，同時鼓勵全民踴躍參與反毒工作。反毒行動列車最大特色，是讓學生及民眾可直接觀看毒品模型及偽裝態樣，並體驗安非他命、K他命、大麻等三種毒品氣味，增強對毒品的辨識能力，是反毒宣導很大的突破。

政府宣示反毒的決心值得肯定，但根本還是應從強化全民對反毒的認識著手，特別是青少年。除培養辨識毒品能力外，更要建立正確人生觀及價值觀，知道甚麼事可以做，甚麼事不能做，甚麼東西可以碰，甚麼東西不能碰。

「心若不動，風奈我何」，能讓成長中的青少年認識毒品的危害進而拒絕毒品，反毒工作基本已成功一半。

台灣毒品的氾濫遠超乎想像，過去被視為物稀價貴的「限制級」毒品，現在幾乎已成垂手可得的「普遍級」食品，只要想吸食，隨時都可透過Line、網路、損友、夜店買得到。

安非他命、搖頭丸、一粒眠、FM2應有盡有，外觀更偽裝成糖果、巧克力、咖啡包，讓很多年輕學子出於好奇心或禁不住同儕慫恿，輕易嘗試，這一試便註定終身將與毒為伍。

毒品的危害，不僅會腐蝕心靈、摧殘身體，更大的禍害是破碎家庭，製造更多的社會犯罪，有人形容吸毒就像感染愛滋病一樣，「活得沒有尊嚴，死得很難看」。但除非下定決心戒除，否則，絕大多數的吸毒者，雖明知吸毒最終必定家破人亡，內心也愧對家人，可是早已身不由己，只能任由毒癮慢慢摧殘自己也毀掉家庭。

令人擔憂的是，有越來越多的年輕人把吸毒當作時尚，不拉K、不抽大麻就不夠潮，轟趴、生日趴沒有毒品助興就不夠high，多少年輕生命就這樣莫名被收走。

但依然還是有很多年輕人拿自己的健康和生命開玩笑，且不僅吸毒，甚至還參與製毒、販毒、運毒。他們對毒品禍害的不在意，對國外判死的無知，都凸顯幼稚心態及法律常識的貧乏。

幹壞事都有理由，吸毒同樣有藉口，都是為了要提神、紓壓、找靈感。在已查獲的吸食者當中，不乏藝人、文化人，也涵蓋各行各業，普遍都自認會理性、節制地吸食，卻輕忽毒品的成癮性。一旦上癮，接下來就是與魔鬼交易，最終不是出賣靈魂就是出賣肉體，到了這個地步，就如行屍走肉、生不如死了。

反毒宣導有助全民認識毒品，但最重要的是建立正確觀念及健康心態，唯強化道德觀及自我意識，才能勇敢對毒品說「不」。

二〇一八年十一月十二日「東方論壇」

「有教化可能」的司法

◎蕭福松

古羅馬時代有一妓女犯法，被送到元老院受審，妓女裸身站在議事廳中央，凹凸有緻的身材，看得老議員們口水直流。一番激烈辯論之後，宣告無罪，無罪的理由——「這女人太漂亮了。」

妓女有罪，不依法論處，反以太漂亮無罪開釋，倒與台灣司法「有教化可能」，頗有異曲同工之妙，簡單講，就是「這壺不提提那壺」。

犯罪情節輕重有別，動機亦不同，固不可一概論之，可是若對犯行明確，且有具體事證者仍予寬貸，就不是司法的仁慈，而是對被害者的不仁。

法官依法審判，是國家賦予的職權，也是人民期盼公理正義得以實現的寄望。包青天明鏡高懸、鐵面無私的審案傳說，在民間膾炙人口廣為流傳，反映的是人民對司法公正審判的殷切期盼。所以當「有教化可能」成為司法典型用語時，就如同元老院的老議員審判妓女一樣，都成了人民揶揄嘲諷的笑話。

法官不是神，卻要代替神執行仲裁是非善惡的工作，辛苦卻神聖，也因為特殊，所以享有獨立審判與自由心證的特權。因此，審判過程中，更需謹小慎微、戒慎恐懼，不冤曲好人，也不讓不法之徒逍遙法外。

有醫院男護理師長期性騷擾女護理師達八十一次，一審判有期徒刑二年，上訴二審，高院重新核算，確定構成性騷擾五十八次，改判一年半。

性騷擾是依犯行定罪？還是依次數「稱斤論兩」？恐龍法官異乎常情常理的判決，不僅無法保障人民的權利權益，連帶社會的倫理綱常與法治法紀也難以維繫。

法官身穿法袍，高高在上，掌握生殺定奪大權，卻不受任何監督干涉，這是國家賦予的特權。相對的，社會關注的裁判品質以及法官個人的操守私德，是否也應接受檢視？否則，缺乏人文素養又不自律的法官，如何期待其能公正審判？

最近獲平反的冤獄案，當事人從無期徒刑變無罪，雖獲賠上千萬元，但失去的人生、事業、家庭，補得回來嗎？

從偵辦、起訴到判刑，經過多少被寄予信任的司法關卡，結果還是冤判。現在還了當事人清白，然當初「入他於罪」的檢警法官們，難道不用負任何責任？

老百姓怕上法院不是沒原因的，曠日廢時外，還可能遇見會羞辱人的法官，以及來回不知更N審的纏訟，壽命不夠長的，還真玩不起。

根據司法院調查，六十二%民眾認為法官的判決不公正，五十六．四%民眾不信任法官。換句話說，民眾對司法的信任度是很低的，只不知法官如何看待自己？

法官必須清楚自身的角色與責任，寧當怒目金剛，也不當假面觀音。有佛心、慈悲心、予人自新機會當然很好，但具俠心、正義感，更能懲奸除惡、彰顯正義。

「有教化可能」當然很好，只是別老拿來當迴避審判責任的藉口。

二〇一八年八月十一日「東方論壇」

有無死刑　社會都不再變好

◎蕭福松

一九九五年震驚全球的東京地鐵沙林毒氣案，首謀奧姆真理教教主麻原彰晃及其六名黨羽，今（二〇一八）年七月六日被處死，七月二十六日，其餘六名死囚也執行死刑，涉及毒氣案的十三名死囚，至此全部伏法。

東京地鐵沙林毒氣事件，造成十三人死亡，超過六千人輕重傷，該案因涉及多名共犯在逃，致案件審理延遲。直到二〇一二年，最後一名涉案的信徒高橋落網，並被判無期徒刑定讞後，全案宣告落幕。

日本司法當局貫徹法律、堅定執法的精神，令人敬佩。沒有因為麻原彰晃及一票徒弟坐監已超過二十年，就說他們已為錯誤行為，付出犧牲自由的代價；也不會說，他們在獄中表現良好，經常抄心經迴向給死者，已有悔改之意；更不會替他們辯解，他們心中是有愛的，只是一時被邪魔附身，還是有教化的可能。

日本在一個月內，執行十三名死囚死刑，這在民主國家是絕無僅有，但也沒聽說有哪個國家或哪個團體指責日本司法違背人道、戕害人權。

他們堅信法律是在保護善良之人，免於威脅、恐懼及不法侵害，執行死刑是要讓殺人犯承擔應負的刑責，不管殺人的理由是甚麼？也不問是否罹患思覺失調症？

殺人犯必須為自己的罪行，付出生命的代價，這是為維護法律的尊嚴、為伸張公理正義，更為了明確是非善惡觀念，讓社會大眾有所遵循。

反觀國內目前仍有四十三名死刑犯「待命中」，歷任法務部長懾於國際人權組織及廢死團體壓力，沒有人敢簽署執行死刑令。

不執行的理由也很可笑，「社會還沒形成共識」、「執行或不執行，尚無定論」，這種閃爍其詞的空話，怎會讓人信服？根據民調，台灣百分之八十六的民眾贊成死刑，難道還不算共識、定論嗎？

台灣司法最荒謬之處，是法官幫殺人犯找「減輕其刑」的理由，更有一群充滿人道關懷的人士熱心奔走，幫死刑犯翻案、爭取權益。完全無視殺人犯罪的事實，更罔顧被害人家屬的悲傷處境，企圖顛倒是非公理，寧非怪事。

小英總統被問到是否執行死刑議題時，明確表示，法律現階段還沒廢死。復根據大法官釋字第四七六號解釋，死刑符合公益目的，且無違國民期待，合憲。既是如此，法務部長實沒有不執行的理由。

話說回來，如果連殺人犯都可原諒，那麼酒駕、搶劫、家暴、性侵者……，豈不更可原諒。對殺人犯特別寬容，卻對輕罪者重懲，豈不顯得司法的偏頗不公？

台灣社會表面多元，實則價值觀嚴重分歧，做為是非對錯天秤的司法，在道德淪喪、社會風氣敗壞的今天，應勇敢捍衛法律的神聖價值，代替上帝維護正義。否則，當人民不再寄望司法，有無死刑變得不重要時，就只能眼看社會崩解了。

二〇一八年七月二十八日「東方論壇」

司法應扮演「社會安全網」角色

◎蕭福松

廢死和反廢死議題吵得不可開交，到底要亂世用重典「殺人者償命」，還是跟隨國際潮流講求犯罪者人權，各有各的說法，莫衷一是，連法務部長都說判死不能解決問題。

判死當然不能解決問題，但莫名被砍死、被殺死的人，難道就活該倒楣？

法律用意本在保護好人懲罰惡人，如今看來，倒更像是專為壞人開巧門。法律制訂一大堆，卻往往拿犯罪之人沒轍，是真的「無法可管」，還是司法怠惰？

小燈泡案發生至今兩年多，王姓兇嫌依然被「寬貸中」，受制於兩公約，從一審到二審，都沒有法官敢判兇嫌死刑，反費心幫忙找「病歷」，設法免其一死。

一審士林地院以王嫌罹患思覺失調症，復依據聯合國兩公約判處無期徒刑。案子上訴二審，高院認定王嫌犯下「情節最重大之罪」可以處死，但因王嫌行兇時，辨識、控制能力降低，「依法減刑後」仍處無期徒刑。換句話說，兜來兜去，還是維持無期徒刑判決。

在台灣犯殺人罪不判死刑，已成司法慣例，殺人不用償命，難怪殺人事件層出不窮。司法如此宅心仁厚、菩薩心腸，怎懲治惡人？如何防守正義最後一道防線？

台灣司法最荒謬之處，是對殺人犯特別寬容。除處心積慮幫犯嫌找學生時代的操行成績、記功嘉獎記錄，證明其有悔改、教化可能外，更想方設法推定其有身心疾病，因為是在「思覺失調，缺乏辨識、控制能力」情況下錯殺、誤殺、不小心殺了，所以其情可憫，可免一死。

這種無稽的司法作為，教老百姓怎麼信服？

法官不敢判殺人犯死刑，是唯恐違反兩公約，但台灣明明不是聯合國會員國，為何老愛拿兩公約往自己臉上貼金？

真正原因，是政府把「廢死」當成目標，法官自然樂得配合，不但可迎合上意、符應國際潮流，還可免除因判死承受的心理壓力。可是，被害人的人權呢？被害者家屬期盼的公道、公理、正義呢？

高院合議庭判決小燈泡案同時，附帶提醒建構社會安全網的重要，盼政府投入人力與資源，方能有助大幅降低精障、心智缺陷者帶來的再犯可能與社會風險。

話說的很懇切，實際卻很空泛貧乏，「社會安全網」是個學術名詞，只是個抽象概念，如何落實到人身安全保護才是重點。面對滿街不定時炸彈，人民除自求多福外，真能寄望「社會安全網」嗎？

更確切的說，司法本身就是最重要的社會安全網，如果連裁判是非善惡的司法，都不能維護正義保護善良，怎奢談建構社會安全網？司法不能發揮震懾不法的效果，結果就是淪為作奸犯科之人調侃、嘲諷的笑話。

假使殺人犯患有思覺失調，缺乏辨識、控制能力，為何還能準備刀械、尋找可下手的目標？怎不對路邊的行道樹下手呢？

小燈泡案，高院比地院唯一高明之處，是多加註了幾句話，也提出感性呼籲，然對防止殺人犯罪有幫助嗎？

二〇一八年七月七日「東方論壇」

司法有無尊重被害人的心

◎蕭福松

二〇一六年三月震驚社會的四歲女童小燈泡，被疑似有精神疾病的王男持刀猛砍頸部，致身首異處死亡案，歷經二年案子仍審理中。小燈泡母親王婉諭是在看到新聞後，才知法院為配合速審法羈押期限相關規定，近期將密集開庭審理，預計五月辯論終結，七月底前宣判。她痛批即便司法改革談了被害人的各種權益，但「沒有尊重被害人的心，講再多都是屁！」

王婉諭女士是司改會委員，也是小燈泡媽媽，最能感受被害者家屬失去至親的撕心之痛及悲傷處境。然苦等的正義有出現嗎？看到殺人犯依然被以種種理由「寬貸中」，怎不憤恨不平？

司法改革的陳義很高，充滿理想性，但能不能落實到公平公正的審判，才是人民最期盼的。可是從諸多光怪陸離、背離常情常理的恐龍判例看來，要老百姓相信司法的裁判品質與公正性，恐怕很難。

專櫃小姐被愛慕者強行摟抱親嘴，憤而提告對方性騷擾，法官卻判無罪。無罪的理由是「擁吻是國際禮儀」、「才十秒鐘，時間太短，引不起性慾」。

外遇男女上摩鐵洗鴛鴦浴還玩自拍，被男方老婆發現控告通姦，法官判無罪。無罪的理由是照片只能證明他們一起洗澡，無法證明他們有在做愛做的事。

詐騙犯遣送回國，法官給予輕判，輕判的理由是「他們只有國中學歷，教育程度不高，對法律的認知有限，並且家境貧窮。」

最近的判例，基隆市一名婦人在家裡，自行用印表機印製千元及五百元假鈔，到市場購物換找真鈔，被依偽造幣券罪送辦。法官「憐憫」她，因為生活苦才印假鈔，且數量不多，給予輕判。

法官有普薩心腸、好生之德，當然是好事，但別忘了法官的職責，是裁判是非善惡、伸張正義公理、規範社會秩序。如果因個人宗教信仰或堅持特異見解，致是非不分、善惡不明、司法天秤失衡，則不僅無法主持公道，連帶也毀壞社會傳統倫理道德，讓僥倖奸惡之徒視法律如無物，也讓人民更加不信任司法。

司法判決的公正與否，固取決於法官的專業，也在於當事人的感受。判決結果如符合期待就是「還我公道」，不符期待便是「司法不公」，這正是法官難為之處，不是神卻要代替上帝仲裁俗世的是非恩怨。但就因為司法裁判攸關人民的生命、財產、權益、聲譽，法官在裁判時更不能不審慎為之。

司法最受詬病之處，一是訴訟案往往一拖數年，曠日廢時，就算最後等到「遲來的正義」，當事人也早心灰意冷；二是各審法院南轅北轍的法律見解和判決，讓老百姓上法院如同賭運氣，怎相信司法？三是台灣明明不是聯合國會員國，卻老愛拿「兩公約」往自己臉上貼金，以為這樣就是跟國際接軌，就是尊重人權。殊不知，真正應被尊重、保護的「好人」人權，反被輕忽、漠視、踐踏。

二〇一八年四月二十一日《波新聞》

藝人之子與蔣姓男子

◎蕭福松（作者為台東大學教師）

有藝人之子在美國因為一句「玩笑話」，被美國警方以涉嫌預謀犯罪移送，有人認為美國警方小題大作。然對經歷九一一恐怖攻擊，仍處在恐攻氛圍下的美國，任何風吹草動，都會被「合理懷疑」有威脅美國安全之虞，大動作偵辦乃屬必然。

台美國情不同，對小孩的管教方式與對法律的認知有很大的差異。

藝人之子的「無心之言」在國人看來，可能是同學間的玩笑之詞，但在美國人的經驗裡，任何帶有恐嚇、威脅性的言語，都會被認真看待。換句話說，玩笑可以開，但逾越法律或拿別人的生命開玩笑，就另當別論了。

藝人之子以涉嫌恐攻，被美國司法部門起訴的同時，台北地院則剛宣判完，網友意圖以雞爪釘攻擊總統座車案，以言論自由判無罪。兩案案情容或不同，但都實質涉及恐嚇威脅，命運卻大不同，究竟是美國司法單位反應過度？還是台灣司法較有人情味？

蔣姓男子在Line號召群組買雞爪釘，伺機使蔡英文座車拋錨或翻車，以達到革命的目的。訊息被國安單位攔截後，通報檢警偵辦，檢方以煽惑犯罪將他起訴，法官卻以其所號召言語屬「言論自由」，難以認定有犯罪故意，判他無罪。

藝人之子和蔣姓男子，一個是和同學電話聊天被舉發，一個是在Line群組廣為散播。論情節及擴張性，蔣姓男子意圖危害總統的動機與犯行，應比藝人之子揚言攻擊校園的「戲言」

更明確、也更嚴重。然台灣法官卻認定蔣姓男子的言論，是對蔡英文執政的不滿，只是情緒抒發。

異地思考，假設藝人之子的揚言攻擊言論發生在台灣，很可能被認為是小孩子的玩笑話輕鬆結案，因為「尚無具體犯罪事實」。相對的，蔣姓男子教唆群眾意圖攻擊國家元首座車案，在美國可能被以叛國罪或暗殺罪名起訴。

同樣都是「言語犯罪」，都尚未付諸行動，也沒有受害人或犯罪事實，但兩國司法對類似案件為何會有如此大差異，是美國被恐攻嚇壞了？還是台灣太自由？

美國重視人權自由，但前提是不能逾越法律。反觀台灣司法不但沒能堅守是非公理正義的最後一道防線，反常以種種似是而非的法律見解，為犯罪者開脫，不但讓司法變成「無牙的老虎」，也讓頑劣刁蠻者更視法律為無物。

司法未能發揮剷奸除惡的功能，結果就是讓原本應規範社會秩序與教育民眾守法的「法治精神」蕩然無存。

台灣被譏諷是詐騙王國、犯罪者天堂、人民享有最不負責任的自由，豈是無的放矢？

二〇一八年四月一日 自由時報《自由廣場》

莫衷一是的判決　要人民如何適從？

◎蕭福松

司法判決的公正與否，既取決於法官的專業，更在於當事人的感受。判決結果如符合期待就是「還我公道」，不符期待便是「司法不公」。這正是法官難為之處，不是神卻要代替上帝仲裁俗世的是非恩怨。

司法判決要做到符合各方期待確屬不易，因為司法裁判不僅是是「法、理、情」的交錯衡酌，也攸關人民的生命、財產、權益、聲譽，法官在裁判時不能不審慎為之。否則，如果只見樹不見林或拘泥於偏執的法律見解，則自以為是伸張正義的判決，恐會衍生出更多紛擾來。

轟動全台的八里雙屍命案，主嫌謝依涵歷經三審均判死刑，被害人家屬連帶向謝依涵及媽媽嘴咖啡店三名股東求償。

一審士林地方法院以謝非在店內殺人，與其職務無關，更與雇用人無關，判三名股東無責，二審高院卻以老闆對員工未盡監督之責，須與謝女連帶賠償二六八萬餘元，引起社會譁然。

士林地院和高院南轅北轍的判決結果，不只外界看得霧煞煞，當事人更是惶惶不安。面對命運未卜、福禍難料的纏訟，是要選擇相信司法？還是聽天由命？

司法原是仲裁人際間的是非對錯，當人民遭受冤屈或不公平對待時，都希望藉由公正廉明的裁判，獲得心中期待的公平正義。可是當公平正義的定義變得模糊，也顯得遙遠時，事實是很難建立人民對司法的信任和信賴。

假使「員工殺人，老闆要賠」的判決成為判例，恐怕很多當老闆的都要剉著等了，因為不知道員工什麼時候心情欠佳或情緒不穩，對顧客做出傷害行為，老闆就真的吃不完兜著走了。恐怕今後除了要加強員工的心理輔導、教育訓練外，更要二十四小時緊盯，以防止類似媽媽嘴事件重演。

高院判決最大的爭議，在員工犯罪，老闆要負連帶責任。如果當老闆還得承擔員工可能犯罪的風險及負連帶責任，還有人敢當老闆嗎？當大家都不想當老闆，致員工失業，則高院「誅連九族」的判決，究竟是正義還是不義？媽媽嘴老闆說的好：「我是請她來煮咖啡，沒雇她下藥。」

高院認為咖啡店沒有建立可疑狀況通報處理流程和管理機制，才讓謝依涵從容做案。但莫說咖啡店無法建立SOP機制，恐怕政府機關也無法做到此高標準程序，高院做這樣的判決，若非昧於事實，就是強人所難。

高院或許是基於保護消費者權益，但顧此必失彼，遷就法律事實，卻很可能讓社會付出更大代價。雖然民眾可以透過上訴做為救濟，但有幾人禁得起曠日廢時且讓身心飽受折磨、折騰的纏訟？

民眾最大的困惑，在各級法院對同一訟案竟會有全然迥異的判決，到底要相信哪一審？而當人民把上法院視同賭運氣時，究竟是人民的悲哀？還是司法的悲哀？

二〇一八年二月八日《波新聞》

司法不應是無牙的老虎

◎蕭福松

不知從什麼時候開始，「良心未泯」與「有教化可能」，竟成了台灣法官對重大殺人案輕判或免除死罪的慣用語，也成了人民不信任司法的最主要原因。

法官依據法律獨立審判，殆無疑義，有疑義的是，法官真能明察秋毫、分辨善惡、評斷是非嗎？在「人權」蔚為潮流的今天，面對罪無可逭的殺人犯，法官會依據犯罪事實判處死刑嗎？答案顯然是否定的。在「聯合國兩公約」及「法官佛心來著」的自我框限下，判死刑遠比不判死刑還難？

固然，未必所有殺人犯都得判死刑，或有出於自衛及義憤者，都屬法理可容範圍。然對惡行重大且罪證確鑿者，法官若仍以種種似是實非的理由為其開脫，則不惟有違司法公正審判的精神，事實亦屬怠忽職守，更無異拿司法審判，當其個人理念或宗教信仰的實踐，實為司法最大荒謬，亦是民眾難以苟同之處。

對罪有應得的殺人犯，不依法判處死刑，理由不外犯嫌「良心未泯」與「有教化可能」。這是最能兼顧人道人權，既不違背兩公約，又能避免廢死團體抗議，更可免於良心苛責最穩當的判決。只是公平正義、是非善惡、社會秩序和傳統價值，也在司法消極的不作為甚至怠慢下，一點一滴流失。

人民不信任司法，在於法官的判決像月亮，初一十五都不一樣。法官見解的分歧，讓民眾在面對司法審判時福禍難料，只能聽天由命，未嘗不是司法的悲哀？司法固允許法官有不同的法律見解，但也不能背離公正審判的精神，否則法官一人一把號，各吹各的調，司法還會是司法嗎？

司法院為統一法律見解，擬推大法庭模式，但重點似不在法官對法律見解的歧異，而在法官本身的法學素養及是否了解民間疾苦。陳義過高、別具卓見或拘泥法匠思維的法律見解，只會讓人民更加不信任司法。

「良心未泯」、「有教化可能」與「恐龍判決」幾無二致，同樣都是歧異法律見解下的產物，則人民的權益保障何在？

法律本意在懲兇治頑，保護好人、懲治壞人、建立社會規範，如今反其道而行，好人未受保障，壞人反而處處有人幫其脫罪，寧非怪事？法官職司審判，應扮演鐵面無私的黑臉，而不是菩薩心腸的神佛，更不是無牙的老虎。

法官審判容或有個人的堅持，但仍需衡酌，自以為客觀公平的判決，是否就是正義的伸張？抑或是錯亂是非善惡價值的幫兇？所謂心中那把尺，究竟是直尺還是曲尺？

雖然法官不是神，不能代替上帝決定人的生死，但國家既賦予審判之權，就應秉持良知依法審判，尤其不能輕忽任一判決，都攸關世道倫常的維繫及是非善惡價值的確定，豈能不慎乎？

二〇一七年八月十九日「東方論壇」

伙計，我可以這樣做嗎？

◎蕭福松

網路流傳一則「台灣需要這種完美的法官」短片，描述美國一位法官審理違規停車案件。被控民眾帶著五歲兒子一起出庭，法官問小男孩：「我可以判你爸爸罰款九十元、三十元、免罰，你選擇哪一項？」小男孩選擇三十元。法官誇讚他折衷的選擇，並引用所羅門王審判的故事，在消除歧見、合乎邏輯的前提下，選擇中庸的判決，最後裁定免罰。

任何人看了這則短片，都會為法官的仁慈睿智動容，他讓國庫少了數十美元的罰款收入，卻讓違規者心存感激，讓小孩體會法律的精神是教育而非處罰，也讓在場聆聽者因為感動，更願意成為一位有尊嚴的守法者。寓意法律並非完全冷酷無情，僵硬法條外，猶有溫暖人性，如何適當裁判，考驗法官的智慧表現。

台灣最近有兩件司法判例，一是八里雙屍命案，媽媽嘴老闆因負連帶責任，須賠償被害人家屬新台幣三六八萬元；一是婦人到大賣場試穿男外套，未結帳就穿著離去，法官以其罹患睡眠呼吸中止症，處於「微睡」狀態，判無罪。前者失之過苛，後者明顯輕縱。

法律相當艱澀難懂，除法官、律師及法律系學生外，少有人懂得法律的奧秘，更遑論一般民眾對法律的認識。要一個單純開店營生的咖啡店老闆，因員工殺人需連帶賠償三六八萬元，不正如孔子所說「不教而殺謂之虐」。

民法第一八八條雖明載「受僱人因執行職務，不法侵害他人之權利者，由雇用人與行為人連帶負損害賠償責任」，但有幾個雇主識得這條文並了解其嚴重性？

假設個情況，如果雇主不想成為「史上最倒楣的老闆」，他是否可採取以下措施自保？

1.聘雇前，要求員工具結，保證不殺人。

2.員工外出或上廁所，一律要報備，以防有不軌之舉。

3.員工做菜或調製飲料，都要先經銀針驗毒，以防對顧客下藥。

4.上班時間，員工必須相互監督，以防止犯罪行為發生。

5.老闆已盡民法第一八八條之告知責任，員工若有不法行為，概與老闆無關。

如果真走到這地步，不僅主僱之間毫無信任、信賴可言，老闆也會很辛苦。除隨時得盯緊員工、避免出狀況外，還得提防員工反告侵犯隱私、妨礙人身自由。

「一例一休」早搞得老闆一個頭兩個大，若再加上「民法第一八八條」的緊箍咒，豈不要老闆乾脆關門歇業算了。最高法院的判決合法但不合情理，相較於美國法官的仁慈睿智，台灣法官少了人性關懷和人文高度。

而即使通情達理，也不能違背事實原則，婦人偷衣案，首見「微睡」一詞。意謂人處於要睡未睡的「假寐」狀態，行為不具意識，故可免罪。

依此推論，凡中年以上男女，不論是開車擦撞肇事或情緒失控鬧事，皆可以患有睡眠呼吸中止症，正處於「微睡」狀態，要求免責，可否？

二〇一七年六月二十四日　「東方論壇」

拒唱國歌……這位大法官 能客觀釋憲？

蕭福松／大學教師（台東市）

台灣只是個地名，它當然不是國家，不應拿來替代「中華民國」國號。荒謬的是，很多人受到這個國家的庇蔭，方能順利求學成長，等到羽翼豐實，擁有地位享有政治權力後，竟回頭詆譭、否認這個國家。全世界大概只有台灣人會如此對待自己的國家，難怪不正常。

國歌不願開口唱，一提到「中華民國」四個字，就像怕觸犯到什麼大禁忌，有這樣的領導人，國家會正常發展嗎？有如此偏執意識形態的大法官被提名人，將來可能客觀解釋憲法嗎？

許志雄說三民主義問題很多，他不能違背良心。倒要問他，若不是三民主義，他有機會站在立法院昧著良心講這些令人不齒的話嗎？他若鄙視中華民國，他是否願意有志氣地放棄大法官提名？

政客、名嘴可以不負責任地大放厥詞，但大法官被提名人，可以以他對「兩國論」的鍾愛，否定中華民國的存在嗎？

說到底，為了名位、為了迎合上意，良心良知皆可拋。只是這個被刻意扭曲裂解的國家怎麼辦？還能正常走下去嗎？

二〇一六年十月二十日 聯合報《民意論壇》

搶救「詐騙吸血」大兵

◎蕭福松

四十五名涉嫌在肯亞詐騙大陸人的台灣人被大陸強行遣返，國內一片譴責聲。政府忙著和對岸「熱線」要求放人，家屬更是心急如焚、四處求援，不過，人既已被遣送至大陸，想要把人要回來，難矣！

這無關人道人權，而是實質司法管轄權的問題，背後除了有大陸當局強烈要為人民討回公道的嚴懲動機外，也不無藉機給新政府一點顏色瞧瞧的意味。

肯亞法院判一干嫌疑人無罪，是僅就「無照經營電信業」、「無照使用無線電信設備」判定，涉及詐騙部分則由大陸接手偵辦。

大陸此次不顧兩岸「共同打擊犯罪」的默契，以極隱密迅速的方式，強行將一干涉及詐騙的台灣人押解至大陸，最主要原因是電信詐騙案件在大陸層出不窮，每年從大陸匯至台灣的詐騙所得就多達上百億人民幣，儼然已成大陸嚴重的社會與治安問題，當然非嚴懲不可。

台灣堪稱「電信詐騙王國」，騙術五花八門，受害對象遍及各階層，只要有電話、手機者，幾無一能倖免。最可惡的是，即使抓到嫌犯，也無法求償，法院更是輕判，都教受害民眾求助無門。

很多受害者一生積蓄莫名被騙，懊惱自責之餘選擇自殺，社會除了表達同情之外，根本無能為力，真正能發揮懲治嚇阻力量的司法，則因輕判，反讓更多無辜者受害。

詐騙集團份子很怕被遣送至大陸，因為他們深諳兩岸法律量刑的差異。在大陸不但會被判重刑，搞不好小命也不保，而在台灣不但有體恤加害人的司法，還有不辨是非的民粹，都讓低成本、高獲利的詐騙集團，隨時可另起爐灶，再度行騙。

無數個專以詐騙手法訛詐平民百姓辛苦錢、退休金、保命錢的詐騙集團，不但沒因法律的遏止而消聲匿跡，反擴張業務至對岸及東南亞，再流竄到非洲、中東、中南美洲等地，十足的「佈局全球」、「台灣之光」。司法的輕判，實功不可沒。

台灣詐騙集團的可惡行徑，已至「人神共憤」地步，誠如對岸所強調，是「站在被害人的立場處理此事。」台灣是要基於人道及主權考量，設法把那些人要回來繼續為害社會？還是要他們為自己的不法行為付出代價？是很傷腦筋且棘手的難題。

在責怪對岸「鴨霸」與政府無能同時，也要問問這些年僅二、三十歲的年輕男女，為何千里迢迢跑到肯亞旅遊，然後一起被關進看守所？出了事，再呼天搶地，哭爹叫娘，若非利慾薰心、錢太好賺，怎會落到被遣送至大陸地步？

政府跟對岸要人，固是責無旁貸，但以兩岸目前互信薄弱的氛圍，加上新政府兩岸政策不明，都讓對岸吃了稱砣鐵了心。想搶救「詐騙吸血」大兵，恐怕是鞭長莫及、心餘力絀。

二〇一六年四月十六日 「東方論壇」

人都殺了 嚴刑峻法有何用？

◎蕭福松

四歲女童「小燈泡」，無故被王姓兇嫌割頸斷頭事件，台北市長柯文哲在受訪時表示，人都殺了，嚴刑峻法有什麼用，重要的是社會安全網。

如果說嚴刑峻法沒有用，不能防範犯罪也無法嚇阻犯罪，是否該廢掉？至於「社會安全網」，指的是包括社會、醫療、警政、教育等單位的「列管對象」，頂多只能提供心理諮商，卻無法在生活與工作上實質協助，也不可能二十四小時監控，防護基本上就是個口號，對於犯罪議題，還是應回歸法律制度面。

法律，雖屬事後追懲，但好歹能發揮警惕、震懾作用，教犯罪者付出代價，想犯罪者有所顧忌。費解的是，法官空有懲奸除惡、伸張正義的尚方寶劍，卻任其鏽蝕，不堅持法律原則的後果，就是國人是非不明、黑白不分、價值觀嚴重分歧，也導致道德淪喪、犯罪頻仍、社會秩序紊亂。

司法把「廢死」當作偉大的理想，因而在面對是非公義裁判時，便陷入進退失據困境。即連證據確鑿、犯行十分明顯的罪嫌，也拿種種理由為其開脫或一再更審，表面理由是慎重，其實是怕背負「判死」的責任。

法官不敢判殺人犯死刑，法務部也不敢執行死刑，公道無存，正義不得伸張，受害民眾怎不心存怨恨不平？又會如何看待司法和政府？

法官不判殺人犯死刑，最可笑的理由，是認為他們有「教化的可能」。如果殺人犯曾受教化或良心未泯，豈會輕率奪人性命？如因可教化而不予判死，則無辜受害者豈不都是該死？死者何辜，為何要成為殺人犯「改過自新」的犧牲品？

法官高估人性，又心存好生之德，甚至認為死刑是「落伍的應報刑思想」，都讓嚴刑峻法變成紙糊的老虎。當法律的崇高性、權威性不再，自讓法律道德觀念薄弱者，愈發心存僥倖而為所欲為。

隨機殺人犯被捕後都自稱有精神疾病，換句話說，都是「非自願性」殺人，然後又有人權團體跳出來聲援他們「免死」，更有懷抱菩薩心腸的法官為其開脫，嚴刑峻法自然形同具文。

台灣五年內三起殺童案，突顯台灣是一個高度沒有安全感的社會，對孩童來說，更是處處危機。須探討的是，什麼樣的家庭教養、學校教育、社會現象，造就出那麼多人格異常、思想偏激、舉止怪異的「怪胎」來？像不定時炸彈趴趴走，不知何時會引爆？

當宗教、道德的愛和關懷都無法改變或阻卻這些人的犯行時，司法便得扮演最終「仲裁是非善惡」的角色，但應本於法律原則，而非拘泥於「人權」的概念。

「人權」是是用來保護善良守法之人免於不法的侵害，而不是被拿來當惡意殺人犯的「免死金牌」，這是最需辨明之處。

二〇一六年四月二日 「東方論壇」

法官心中的那把尺

◎蕭福松

法院給人的印象是莊嚴肅穆，法官則是威嚴不苟。法官讓人敬畏，不僅因其地位尊榮，更在他擁有絕對的權力可定人罪刑、判人生死。

法官是人不是神，但法律的賦予，讓他可代替上帝論斷人的是非對錯，其角色及判決應不容質疑，就像前司法院長林洋港講的：「皇后的貞操不容懷疑」。

皇后的貞操固不容懷疑，但前提必須皇后是貞節嫻雅、具賢淑美德，司法以此彰顯其崇高性、神聖性，但也得先檢視司法本身是否真正做到廉明、公平、正義？

國立中正大學犯罪研究中心公布一〇四年度民意調查，有七六．五％民眾不相信檢察官辦案的公正性，有高達八四．六％的民眾，不相信法官處理案件具有公平公正性。在對司法的信任度方面，民眾對檢察官的信任度為二三．五％；對法官的信任度則僅有一五．四％。

這種超低民調，司法人員一定無法苟同，不過證諸歷來諸多對食安、殺人不判死，及各種超乎常情常理的「恐龍判決」，民眾對司法的「低信任度」似屬正常反應。

司法目的在仲裁是非、懲奸除惡，理應公正廉明並速審速判，既還受害者公道，也能嚇阻不法犯罪，讓正義得以伸張。然而，現在的司法審判卻予人「老牛拖車」感覺，時間冗長固不在話下，裁判品質尤受人詬病。

外界無法得知司法審判的程序，但很多案子一拖一、二十年仍未定案，一直在二、三審間更來更去。民眾不解，同為司法體系，取得法律一致的見解有那麼困難嗎？一定得官樣文章來來去去，等著「合於己意」的判決，否則就繼續「更」下去。

審判曠日廢時，浪費的是社會成本，賠上的是司法形象，犧牲的則是老百姓的權益。好些當事人等不到司法的公正判決就往生了，其心中的悲憤遺憾及長期纏訟的煎熬，豈是高高在上的法官所能理解？就算最終還人清白或給了公正的判決，但遲來的正義還會是正義嗎？

實務上，常見與社會認知差異甚大的判決，關鍵似不在法條的引用，而在法官的主觀意識。同樣捉姦在床，有的被判有罪，有的則是「蓋棉被純聊天」。當上法院變成賭運氣時，民眾對司法自然談不上信任。

很多年輕法官敢於獨創見解，顛覆傳統對犯罪追懲的「殺人者死，傷人及盜抵罪」觀念，甚至以慈悲人道心懷，給予犯罪之人更大的寬宥改過機會，卻無視受害者的傷痛苦楚及法律的使命目的。枉縱輕罰的結果，除自貶法律的崇高聖潔外，也讓邪惡投機之徒，更心存僥倖，都加速道德的淪喪與社會的失序。

談司法改革，最重要的，是法官心中那把自以為「公正廉明正義」的尺。

二〇一六年二月二十七日「東方論壇」

裸拍無罪　引人性慾才有罪

◎蕭福松

數年前，一名年輕男子在桃園機場強吻一位愛慕的專櫃小姐十秒鐘，被依性騷擾移送，結果獲判無罪。無罪的理由──「擁吻是國際禮儀，且時間太短，引不起性慾」。

無獨有偶，士林地檢署偵辦網路論壇Beauty CLUB「裸拍族攻入台北捷運」妨害風化案。檢察官也以該網站只供會員瀏覽，且照片僅露點，無引人性慾或噁心的動作，不構成猥褻，所以不予起訴。並表示台灣社會沒那麼保守，不是裸體就違法。

台灣社會是沒有那麼保守，但也沒有開放到可隨意在公眾場所裸露胸部、下體的地步。檢察官認為只要「不引他人性欲」就不構成違法，但用膝蓋想也知道，有哪個正常男子看到赤身露體裸女不動心、不起淫念的？除非是柳下惠。

「豪放女」在台北捷運新莊線先嗇宮站月台及車廂上三點全露裸拍，再上傳Beauty CLUB網站，博得眾豬哥男網友一致好評，奪得冠軍。雖沒有如大法官釋字第六一七號解釋，具有暴力、性虐待或人獸性交等內容，但公然在大眾運輸工具上裸拍，畢竟不雅也不宜，更不值得鼓勵。

食色乃人之大慾，自無須刻意掩飾或充假道學，但凡事總要有個分寸，更應合乎社會所共同遵循的禮儀規範。

裸體當然不違法，但得看在什麼地方裸露？在自己家裡要怎麼裸，是個人自由；模特兒在特定空間裸露，是為攝影或繪畫需要，都不會引人非議。但假使在大眾運輸工具上，只為好玩或挑戰禁忌，就脫衣裸露，不是心理有病，難道會是犧牲奉獻、嘉惠眾生？

人跟動物最大的不同，是人有廉恥心，懂得穿衣蔽體，遮掩不該裸露的私密處。敢在公眾場所露乳、露下體，若非思想前衛、心理有問題，就是想藉著男性色瞇瞇的眼神滿足內心的虛榮，而色情網站也樂得藉女人的虛榮心「物化女性」。此股「色情風」可長不可長，既在民眾的自我道德覺察，更在司法裁判的引領。

專櫃小姐遭陌生男子強吻十秒鐘，被法官瞎扯時間太短引不起性慾，更胡掰是國際禮儀，這樣的裁判品質，怎讓老百姓相信司法？

況若照檢察官說法，無引人性慾或噁心動作，就不構成猥褻。那麼好事之徒，若也師法美國的「無褲日」，在捷運車廂上光屁股，或光天化日下「溜鳥」，應也不構成犯罪吧？

以「裸拍無罪，引人性慾才有罪」為由不起訴，就像「脫褲子無罪，放屁才有罪」，同樣令人可笑。有趣的是，台北捷運對士林地檢署的「高見」顯然不領情，仍強調若有旅客在捷運站內裸拍一定查辦。北捷維護大眾權益及堅守原則的堅持，值得肯定，但萬一再遇到是非不分、價值觀混亂的司法官們，恐又白忙一場了。

二〇一五年九月十二日「東方論壇」

亮票無罪　不亮票是心虛？

◎蕭福松

每逢縣市議會正、副議長選舉，檢警便如臨大敵，全程緊盯投票，看有無議員故意亮票，亮票目的無他，表明「我有投你一票」。在「賄聲賄影」的正、副議長選舉中，亮票被認定是最可能涉及賄選的直接證據。

然最高法院刑事庭會議，最近作成「議員亮票不構成公務員洩密罪」決議，不僅之前因亮票而官司纏身的議員全部解套，往後縣市議會正、副議長選舉亮票，也將變成公開合法且適宜的行為，寧非怪事？

刑事庭會議認為地方自治實施之初，議會選舉亮票，會讓人以為議員買票，但時過境遷，依當今社會氛圍，不亮票的議員才令人起疑，所以決議「亮票無罪」。也就是說，過去被認為是違法、不適當的行為，現在因社會變遷、人心及價值觀丕變，應重新認定「舊法律行為」，以符應時代潮流。

此決議係針對縣市議會議員，認為議員投票「只涉及個人政治意向及理念，圈選內容是議員本身的秘密，非國家秘密」。

假如這個論點成立，那麼包括一般公職選舉、鄉鎮市民代表會正副主席選舉、立法院正副院長選舉及立法委員行使人事同意權投票，是否都可主張是政治意向及理念的具體表現而亮票？並且不能以「妨礙秘密投票」論處，否則，獨厚縣市議員，說不過去。

議員亮票可能出自「自清」，證明沒跑票、沒拿髒錢，也可能用來表明「兌現承諾」，不管動機為何，亮票行為是違法且不應被鼓勵。

如今，刑事庭會議以「不亮票」是心裡有鬼，「亮票」才是心中坦蕩、負責任的表現。這種「倒果為因」的邏輯，令人匪夷所思，而硬掰「依當今社會氛圍」的說法，更叫人啼笑皆非。

「不亮票」或許可被解讀是心虛，但絕不能用來反證亮票就是「表清白」。「妨礙秘密投票」，本意在防範亮票及不法窺探，現反其道而行，為亮票者開脫，並合理化是政治意向及理念的具體表現，如此順應「民意」的法律見解，極其牽強。

苟如刑事庭會議見解「依當今社會氛圍」，則原本很多隱含「道德意識」的社會規範，可能都要重新定義。

並依此論點推演，則殺人者可免死罪，因為廢死是國際潮流，且人死不能復生，何必多死一條人命？通姦者亦可除罪，男貪女歡乃人性之常，何苦以法律懲罰相愛的雙方？公然侮辱、猥褻、性騷擾者亦無罪，因皆屬私領域不涉公益，且不必然造成當事人實質傷害……。以此推演下去，啥違法亂紀之事統統無罪，台灣不亂才怪？

台灣民眾法治觀念及道德意識愈趨薄弱，如今連法律人也自失立場，為犯罪者開「巧門」，社會豈能不亂？

二〇一五年九月五日「東方論壇」

「恐龍判決」對解構社會連帶的影響

作者：蕭福松（國立台東大學講師）

北投文化國小割喉案震驚社會，幾位同事談起此事，在哀慟八歲女童無辜受害之餘，也猜測兇嫌會不會被判死刑，共同的結論是「不會」。

理由一、兇嫌行兇後自首；理由二、他可能有精神方面疾病；理由三、他有被教化的可能，特別只要他在法官面前表現「悔過之意」，就可能免除一死；理由四、法官有「好生之德」，何況嫌犯也有人權，再說「廢死」是國際潮流，更要與之接軌。

綜合上述，割喉案兇嫌襲重安不會被判死刑，應是可預見的結果。

作家廖玉蕙女士寫了篇「壞人一再得逞」的文章，指法官對涉及百餘起詐騙案的十多名共犯皆予輕判。

判決的理由是：「某人只是國中畢業，缺乏知識，所以無法判別借人身分證當人頭乃犯法之事。」、「某人因為只是高中畢業，缺乏知識，無法知曉尾隨或威脅被害人取款乃犯法之事。」結果，共犯多數判定無罪，少數緩刑。她形容，這樣的判決書，讓人看了真會血脈賁張。

法官是故意或天真，不得而知，但把犯案動機，解釋成是因為教育程度不高所致，顯然低估了歹徒的賊腦筋和壞心眼。

給犯罪之人悔過自新機會，是契合法律「教化導正人心」的本意，但若不能意識到社會的擾動不安，是緣於人性的貪婪邪念和卑劣暴行，單純地以「宅心仁厚」，既想給予犯罪之人更生機會，也為自己添加功德，恐不只辱沒法官「明鏡高懸」、「廉明正直」的天職，更不啻逐步解構維繫社會理性、平衡、和諧所需要的「社會連帶」。

法官可以有自己的宗教信仰，也應具悲天憫人之心，可是絕不能把仲裁善惡、審辨是非的司法判決，當做是測試人性的實驗場或累積個人功德的敲門磚。指陳犯案人學歷不高、缺乏知識，一如老套的「犯後態度良好」，同樣令人啼笑皆非。

五十八歲許姓男子性侵同居人唸國中的女兒長達五年，同居人知悉後羞愧上吊自殺。被性侵的女孩不堪長期受辱，搬回與生父同住，並控告許男性侵她五百餘次，許男要求撤告不成掐死少女，再故意佈置成自殺現場。

許男一、二審都被依殺人罪判處死刑，但高院更一審，竟以「許和少女生活十多年，視少女如同親生女兒，因過去有服刑經驗而恐懼坐牢，會不斷哭求少女不要提告，可見他有善與惡的兩種人格，無法證明他不能教化。」改判無期徒刑，引起社會一片嘩然。

此判決最受非議之處，在於許姓男子若視少女「如同親生女兒」，怎會做出禽獸不如行為？「不斷哭求少女不要提告」，是否意味少女就是因為拒絕他的哭求，才惹來殺身之禍？或者藉不提告來繼續他的犯行？讓少女繼續受辱？

拿「善與惡兩種人格」作譬喻更屬無稽，人性本來就是善惡念頭並存，是透過教育教養及宗教道德的感化，以抑制惡性激揚善念。

假設許男可教化，早在他過去服刑時就已被教化，豈有在性侵少女長達五年並予殺害後，再說他「良心未泯」?拿此「不合邏輯」的理由幫罪嫌逃脫死罪，實令人匪夷所思。

新北市兩歲小男童王昊遭生母同居男友劉金龍及其三名友人，以拔指甲、用燒紅鐵釘燙腳底等方式凌虐，還強行注射毒品致死。高院二審判決，將主嫌從死刑改判三十年徒刑，其餘嫌犯也減輕量刑。法官輕判的理由是「嫌犯在審理過程一度落淚，沒有殺人企圖且有悔意。」

但用膝蓋想也知道，面對生死交關，還有殺人犯會白目到逞氣魄、不認錯地步嗎?法官不追究罪嫌犯案時凶狠殘暴的事實，反拿「犯後態度良好」為其開脫，寧非怪事?鱷魚的眼淚豈值憐憫?豈可相信?法官若不是太仁慈，就是太天真。

法官獨立審判，應不受公評。可是當判決結果明顯悖離常情常理，與社會大眾所認知並遵循的價值觀及行為規範，出現極大落差時，就不免讓人質疑，司法裁判的品質及其公正性。

一個登徒子在機場強吻愛慕的專櫃小姐十秒鐘，獲判無罪，理由是「擁吻是國際禮儀，且時間太短，引不起性慾」。小偷入侵民宅，被剛好返家的屋主撞見發生扭打，也獲判無罪，理由是「他尚未著手行竊」。四歲小女孩被性侵，嫌犯獲判無罪，理由是「小女孩沒有說『不』」。外遇男女裸裎共浴還自拍，也獲判無罪，理由是「只是泡澡未必有做愛」。

種種荒謬、令人瞠目結舌的判決，要人不質疑法官的裁判品質也難，要人相信司法的公正性更難!

台南市一名二十多歲無業男子以為「殺一個人」不會判死刑，竟隨機誘殺十歲小男孩。小孩何辜，為何要成為罪犯免費吃牢飯的「門票」?

「不會判死刑」成為蓄意、惡意殺人者的保命金牌、護身符。為何有此偏差認知?扭曲的法律觀從何而來?顯然，司法的輕判和縱容給了錯誤的訊息。

「殺人償命」的觀念或許不合時宜，但「除上帝外，任何人都沒有權力剝奪他人的性命」，卻是永遠不變的真理。

法官若擔心判死刑，與「國際潮流」接不上軌，或認為給殺人者重生機會，就是在為自己積功德，則置枉死者權益與公理何在?

這無關「廢死」議題，而是法官有沒有悲天憫人之心?有沒有扮演好明辨是非、裁判善惡的角色?或如王昊姑姑講的：「如果這些傷在你身上，你會這樣嗎?」

一位警察投書報紙，指曾經多次好不容易逮獲罪嫌移送院檢，正欣喜正義得以伸張時，沒多久，就眼見嫌犯大剌剌地從地院或檢察署大門離去。

他形容當下的心情，真是五味雜陳。感慨地說：「法官、檢察官可能基於法律保護一個犯罪嫌疑人的人權，可是卻也讓社會上更多無辜的善良百姓，陷身於被害的危機之中。」講白一點，法律究竟是保護好人?還是保護壞人?

今天台灣社會最荒謬的現象，莫過於一些作奸犯科、偷拐搶騙、性侵奪色……，既不容天理，更視人命如草芥的不法之徒，卻有懷抱菩薩心腸的法官為其開脫，死刑犯更有人權團體為其奔走爭取權益，豈不怪哉?

國家制定法律的目的，是要讓社會的每一份子都能自制守法，瞭解犯行及法律追懲的因果關係。必須遵守法律，尊重他人生命，並承擔不當行為的後果，而不是在剝奪他人性命之後，再尋求寬宥、赦免。人民寄望於司法的，也正是期待公理正義的伸張。

司法是正義的最後一道防線，當宗教和道德都無法發揮感動人心、匡正導引向善的力量時，法律就必須扮演「維繫公義真理」的後盾角色，俾使脫序的行為回到正軌。同時，法律應是保護好人、懲治壞人，假使本末倒置，只顧維護犯罪之人的人權，則置善良百姓的權益於何處？

法官本諸法律專業，根據犯罪事實，參考證據，衡情酌理，做最適切的判決。既還被害者公道，也讓加害者得到應有懲罰，才能彰顯公平正義，建立司法威信。

但如果只見樹不見林，拘泥於法條的引用或程序枝節問題，卻忽視「大是大非」的公理原則，或基於個人信仰、偏執認知，做出與傳統道德及普世價值完全相反的判決，則不惟無法伸張正義，徒增受害者及其家屬的怨懟悲痛，也無異自毀司法公正形象，更不啻解構文明社會亟需的「社會連帶」。

法官的誤判、輕判或「恐龍判決」，不僅無助人心的向善及治安的改善，反因公義真理的不彰，更紊亂道德意識與法治觀念愈形薄弱的台灣社會。

要人民相信司法是公正嚴明、是可信賴的，法官的專業素養及自由心證能力，就更值期待了。

二〇一五年六月二日　蘋果電子報

別再把警消當「鋼鐵人」操

◎蕭福松（作者為國立台東大學教師）

桃園市六名年輕消防員在救火任務中不幸殉職，才二十來歲的年輕生命，正當人生的開始，卻因救火喪命，確實令人痛心。

在責難現場指揮不當及裝備不足同時，是否也該檢討不合理的勤務制度。不知從什麼時候開始，台灣消防隊員變成無所不能，只要一一九電話一撥，不管救人救火、救貓救狗都要「即刻救援」。是成就了「鳳凰」美名，可是這當中有多少警消人員為救人救災而犧牲性命。

民眾把消防隊員「生死一瞬間」的救援視為理所當然，上級也把消防隊員出生入死的義行，當作是便民愛民表現。卻少有人關心過多且繁雜瑣碎的勤務，會不會把救火弟兄操死？不確定的意外狀況是否危及他們的身體生命安全？

大家都把警消人員當作是打死不退、使命必達的「鋼鐵人」。忘了他們也是血肉之軀，必須涉險冒險，甚至付出生命代價。

該檢討的，是誰讓消防隊員的「功能」無限擴大？上級、地方首長、民意代表或民眾？有時只為救一隻卡在大樓間隙裡的小貓，或跌落溝渠的野狗，就勞師動眾救援。是博得「愛護動物」的讚聲，也上了媒體版面，但符合比例原則嗎？是否浪費救災資源？

台灣社會過度氾濫的愛心、同情心，讓基層警消疲於奔命、窮於應付。警消的本務是救火救災，警察的本務是維護治安。可是看看現在的警消幾乎是包山包海，什麼都要救，縱有三頭六臂，恐也分身乏術。

再看看警察，既要扮演捍衛戰警，也要充當愛心褓姆，很多員警自掏腰包解人燃眉之急，或照顧轄區內孤老貧困，都展現愛心、人性關懷的一面。可是宵小橫行、竊盜頻傳、兇神惡煞滿街跑，也是不爭的事實。

有兩則報導，值得大家思考。一是警大二九八名新生中，有二十八人放棄就讀；一是很多基層員警只要年滿五十歲年資一到，就趕著退休，都突顯警察勤務繁重、權責不相稱及未受到應有尊重的困境。

大家都把警察當做可以隨便使喚的「工具」，增加很多與治安無關的工作，都讓基層員警壓力倍增，服務熱情不再。所以，在檢討消防勤務的同時，也應一併檢討現時基層員警的勤務。

警察本是公權力的象徵，但在理盲濫情、人權無限上綱的台灣，警察倒變成弱勢，毫無尊嚴可言，難怪有人不想當警大生，基層員警要趕著退休。

為何基層員警最辛苦、任務最多，而罵聲、批評也最多，應檢討的是，警政高層究竟是把基層員警當打擊犯罪、維護治安的急先鋒？還是拚個人聲望、政績的墊腳石？

民眾最期盼警察專責做警察該做的事，讓竊案減少，治安變好。至於「撈過界」的課輔班、驛馬站，就讓專業的人去做吧！

警察如此，警消也應如此，都回歸「本務」吧！

二〇一五年一月二十二日 自由電子報

參、教育篇

刪父母懲戒權／依法維繫　家庭親情蕩然

◎蕭福松／大學教師（台東市）

法務部擬修法刪除父母懲戒權，不僅家長恐慌，老師也存疑。剝奪了父母的管教權，誰來填補管教空缺？法律可取代親情嗎？

教育部實施「零體罰」政策以來，已改變整個教育現場的師生關係。老師對學生明顯調皮搗蛋、嚴重干擾教學的踰矩行為，寧可痛苦地視而不見，也不敢隨便制止，因為只要學生「心理受傷」，老師就吃不完兜著走。

老師職責不是只有「傳道、授業、解惑」，也教做人做事道理，限縮了老師的管教權，無異讓學生失去學習待人處世的機會。現在如果連家長必要的管教，政府也要修法予以限制，實難想像在沒有父母約束、規範下的孩子，會有法律觀、家庭觀、責任感、道德感嗎？

管教和家暴、虐童是完全不同的概念。家暴和虐童涉及大人的心理層面及情緒控管，管教純就孩子生活常規、禮貌禮節、得體行為的要求，如果連家長都不能管，難道法務部代管？

高雄有位爸爸不滿就讀高中的兒子，念不到一學期就曠課一百多節，接到學校通知後質問兒子，兒子出言不遜，又一副無所謂的樣子，氣得老爸出拳教訓。兒子不爽被打，告老爸家暴，老爸被法院判處三個月徒刑，因違反「兒少法」，不得易科罰金，但可上訴。

法律保護孩子免受大人不當對待，立意是好的，但是否要介入家庭管教，就值得商榷。高中生贏了官司，卻傷了老爸的心，也失去自我反省成長的機會，他會因老爸被判刑，從此不再曠課嗎？如果答案是「否」，那法律是在幫他，還是害他？

法務部從接軌「國際潮流」觀點，要刪民法父母懲戒權，但可能忽略國情及民族性差異的事實。歐美國家重視孩子的人格權、自主權，但國人更重視傳統「養不教父之過」、「無規矩不成方圓」的教養觀念。要父母放棄對孩子在生活常規、應對進退、待人處事規矩方面的要求，除非父母真的切心。

每個人都有獨特的個性、脾氣和人格特質，不是每個孩子都聽話，也不是所有孩子都適合「愛的教育」。如果連罰站、打手心、打屁股，這種「薄懲」警惕意味的管教也不允許，父母只能當假的。

再說，法務部也不能僅單方面要求父母不能有過當的管教行為，是否也該學德國法律，規定六到十八歲的孩子一定要做家事。如此父母子女雙方，法律都互有約束才算公允，否則只要求父母不能管教，卻沒要求孩子聽話，並不公平。只是若真走到這一步，家庭應該也沒有親情倫理可言了。

二〇二三年三月二十三日　聯合報《民意論壇》

課綱調查2.0回響／膨風·代工·軍備競賽

蕭福松／台東大學教師

聯合報課綱調查2.0專題報導，引起很大的回響，高中端、大學端各有說法。但不得不說，「學習歷程檔案」是一個陳義很高、很理想化，卻是眼高手低、不切實際的教育政策。

要仍處於學習摸索階段的高中生，邊上課邊建立檔案，明顯高估了學生的學習能力與態度，結果不是敷衍應付，便是找人捉刀。問題是大學教授豈是吃素的，一瞄便知真假，於是形成高中端窮忙窮緊張，大學端不屑一顧的荒謬現象。

不否認，的確有很多認真的高中老師，用心指導學生建立學習歷程檔案，自我要求高的學生，也確能實在地建立學習檔案。可是對建檔沒把握，或不想把時間浪費在建檔上的學生及家長來說，「委託代工」最方便省事。

要高中生建立學習歷程檔案，就像曾子要求學生「吾日三省吾身」一樣，差別是曾子要學生真實面對自己，學習歷程檔案卻要學生如何膨風自己。高中階段，人生才起步，就要他們學習「不誠實」，是不是很諷刺？

更大疑問是，這些包裝精美的書審資料擺在大學教授面前，有多少可信度、參考價值？不諱言，也就只能參考，真正的考驗是在「面談」。

有經驗的教授會旁敲側擊，隨機問些與學習相關，卻不出現在學習檔案裡的問題，看學生怎麼回答？否則，單看結構完整、內容洋洋灑灑的學習歷程檔案，有時還真難辨真假。

學生大多不喜歡考試，因為考試會有壓力，且要讀要背還未必考得好；寫報告簡單多了，網路現成資料多的是，隨便複製貼上就可交差。學習歷程檔案不管是學生自己寫，還是找人代工，假如大學端質疑、不採信，豈不白忙一場？

有一年，我教進修部，學生都是在職進修的公務員，一回要他們寫報告，其中有五位是同單位的，我一看報告，乖乖！以這種論文水準應都是博士班程度，來唸進修部未免屈就了。便找他們五位來，直接說：「坦白從寬，自首無罪。」

五人坦承因工作忙，便協商一人全權處理，哪知下載的資料「太高檔」，一眼就被我識穿。最好笑的是，五人報告封面一樣、字體也一樣，分明就是一貫作業。

學習歷程檔案本意很好，可是對即將面臨學測的高中生來說，考試成績好才是致勝的關鍵，學習歷程檔案顯得多餘且浪費時間。如不想分心，就找「專業人士」代工，就像一些家長說的「堅強的家長不會讓小孩被新課綱拖累」。

至於家境差的學生，就只能拿著內容實在，卻欠缺美麗辭藻修飾的學習檔案「獻醜了」，怎說不是軍備競賽呢？

二〇二一年六月九日　聯合報《民意論壇》

逼戴「素養高帽」 校長才算專業？

蕭福松／台東大學教師

中小學校長協會受教育部委託進行「中小學校長專業素養」研究，訂出七大專業素養及二十一項指標。

「素養教育」當道，不僅學測、統測要考素養，老師要有素養，作為師生表率的校長，更要有專業素養。不過細看其項目，包括實踐適性揚才、規劃學校願景、善用行政領導、引領課程發展、優化學習情境、經營公共關係、恪守倫理規範等，都是早已在做或現正進行，並無新意。所謂指標也是冷飯熱炒，不脫KPI思維，究能提升多少校長專業素養，不無疑問。

理論上，能考上校長的國中小主任，都已有相當豐富的教學經驗及行政歷練，教育素養當不在話下。以「舊酒裝新瓶」方式，刻意凸顯「專業素養」的重要性，徒予人「為素養而素養」的造作之感。

進一步說，已具校長資格的「候用校長」，在遴選派任之前，必先借調至教育局〈處〉歷練一年。這一年當中，學習認識縣市政府的行政運作，熟悉和財主建管單位的聯繫溝通，了解經費核銷和工程發包程序；本務方面，必須參與課程研發、計畫擬訂、活動籌辦……等。校長應具備的專業素養與辦學能力，都在此期間訓練培養，人品操守，也在此被觀察考核。

各縣市對「儲備校長」的養成自有一套規範，如今校長協會提出「中小學校長專業素養」，彷彿打臉「不含素養成份」的培訓計畫不合時宜，更明示所有校長都需要「專業素養」的再教育。

在「校長兼撞鐘」的年代，校長只要管理好校務，學校不出狀況，基本上沒問題。可是換到現在，校長角色丕變，不僅對內行政領導與學術領導才能要兼具，對外更要會「搏揉」，才能應對上級長官、民意代表及社區鄰里，也才能幫學校爭取更多的經費和資源。只是如此一來，校長的職能究竟是甚麼？就值得探討。

很多縣市政府教育預算不足，但學校廁所要修、飲水機要換、社團要辦活動、學生要參加縣外比賽……，沒經費怎麼辦？有的校長找親朋好友組「顧問團」贊助，有的找企業廠商幫忙，人際關係好的就找民意代表要補助。

校長為了校務發展，和校外人士「搏揉」應酬，頗多出於無奈。不但易被貼上「不務正業」標籤，也讓清高形象變成「市儈化」、「里長化」，甚至「政治化」。

中小學校長協會理應幫校長發聲、協助解決上述困境，而不是替教育部拿「素養高帽」給校長戴，更不是以為推動「證照化」，就能落實校長專業素養。

校長是職務非職業，專業也不是靠證照就能證明，要提升中小學校長專業素養，拙見以為：一、相信並尊重校長的專業，必能帶領學校走在教育的正軌上；二、政府應編列足夠預算，別再讓校長四處哈腰要錢；三、教育唯愛與榜樣，是感動的過程，不是KPI指標所能量化評核；四、給校長更大的自主空間，讓他們秉持良知良能專心辦學；五、請教育部少下指導棋，專家學者少置喙吧！

二〇二一年五月六日 聯合報《民意論壇》

當節日只剩下放假出遊

蕭福松／臺東大學教師

清明連假，對心繫先人的老一輩來說，代表慎終追遠、掃墓祭祖之意；對年輕人言，連假意味可人玩特玩。

不同世代對傳統節日有不同的認知，不令人意外，不過老想著出遊，卻忽略節日所象徵的深層意涵，則丟失的不是節日而是文化。

一位即將退休的校長為中年級小朋友講解「后羿射日」、「嫦娥奔月」的故事，訝異學生竟不知中秋節何月何日？再問端午節為何要吃粽子？清明節為何要吃潤餅？過年為何要穿紅衣放鞭炮？都全然不知。

校長以為是學校老師沒有教，可是換到別所學校問同樣年級小朋友，也是一問三不知，這時，她才警覺到文化的「根」，正一點一滴消蝕中。

她憂心地說，學校沒有教，是因為課程沒有編，如果連家裡阿公阿嬤也不講，下一代對傳統節日，恐將一無所知。

最讓她無奈的是，新世代對中國傳統節日及歷史偉人英雄全無概念，但對流行動漫《鋼之鍊金術師》、《海賊王》、《銀魂》、《鬼滅之刃》……中的虛擬人物，卻都能如數家珍、朗朗上口。

她懷疑，我們的基礎教育是不是嚴重走偏了？

她語重心長地說，中國文化博大精深，不論是歷史或民間故事都饒富哲理及趣味，是塑造完美人格不可或缺的精神食糧，可是我們卻鄙視它、排斥它。當下一代不知歷史為何物？也不知傳統節日從何而來？遺失的不僅是文化，更是整個「社會連帶」的斷裂。

政治人物因意識形態而仇中反中，但仇反的對象應是共產黨，而非中華民族，更不是中華文化。

回頭看，台灣寺廟、宗祠、戲曲、歌謠、民間習俗……，哪一項不是根源於中華文化？自貶或拋棄老祖宗留下的優美傳統文化，只讓下一代更不知清明掃墓是尊親孝道的表現、是族人感情的連繫、是香火的延續，更是文化道統的傳承。捨此，台灣文化骨子裡還剩下甚麼？

二〇二一年四月二日　聯合報《民意論壇》

老師付出愛心　偏鄉教育最美身影

蕭福松／臺東大學教師

關於八日「假如我是偏鄉教育處長」一文，筆者以在地教育工作者立場，提出不同看法。首先，台東縣政府決定試辦「本校分校實體合班」、「小校小班遠距跨校」及「跨年級教學」，並非橫空出世的創意，而是經多場分區校長會議後，衡酌各偏遠學校教學現況，所研擬出來的因應之策。

或許了無新意，也稱不上卓越，卻是因地制宜、解決少子化造成小班小校教學困境的務實做法。

沒有在東部偏鄉學校服務過的人，往往只能從媒體報導或片面資訊，去想像偏鄉小孩如何貧窮可憐，想當然爾，「弱勢」一詞就冠在這些孩子身上，各種愛心物資及補救教學也不斷湧進校園。

善心人士及公益團體的好意，固值得肯定，但會不會養成孩子「不勞而獲」心態及干擾學校正常教學，其實都不無疑問。

其次，學校任務不僅是教學，還有很多行政工作需推動，以人事成本換算教學成效，甚至譬喻比美國公立學校還高。可能忽略了學校也是政府體系一環，不比民間企業或私立學校有很大的彈性和自主空間。

作者提到假如他是教育處長，在制度、大環境沒有改變前，會廣邀對教育有熱忱、也有實際經營成效的民間團體來協助「破冰」。作者的用心可佩，但只知其一不知其二。

教育政策是全國一致性的，大環境牽扯的問題更多，不是區區地方政府可以改變的。何況台東歷任教育處長都是借調自大學的教授，他們並非不懂教育；若說邀外面團隊來協助「破冰」，則不啻否定所有在教育現場老師的專業和努力。

台東教育並不差，小孩也不笨，強要比較的話，就只差在「升學意識」、「菁英思想」及「功利主義」沒有都市來得那麼強烈罷了。

可是相對的，台東小孩在山海自然環境薰陶下，孕育出更開朗、健康、善良、純樸的人格，在未來人生發展上，更具潛力、續航力，會是弱勢嗎？

筆者曾訪視離島及南橫諸多偏遠小學，看到小孩活潑可愛的笑臉，也看到很多年輕老師對偏鄉教育的熱忱，很令人感動。日前至花蓮洽公，回程走東海岸公路，因天色已暗，便在中途成功鎮農會餐廳用餐，巧遇對面忠孝國小主任及老師帶著棒球隊員一起用餐。

主任說，他們輔導小朋友課業到六點才結束，老師說學生練球很辛苦，但交代的功課都有完成，所以請他們吃飯。

都已晚上六點多了，還下著毛毛雨，但老師們還是很盡心地陪伴孩子，這就是台東偏鄉老師最美麗的身影。沒有高調的教改口號，沒有深奧的教育理念，只有愛心關懷和真心用心的付出。

二〇二一年三月十日　聯合報《民意論壇》

釋放原民天賦　實驗教育追求的理想

蕭福松／台東大學教師

實驗教育目前在國內正夯，各種以森林、海洋為名，標榜美式風格、全人教育的實驗學校，都如雨後春筍般在台灣各地發展，也備受不想被現行教育體制框限的家長青睞，然實驗教育是什麼？很多人未必清楚。

學期結束前，邀請達魯瑪克民族實驗小學彭志宏校長到課堂分享經驗，讓同學認識原住民實驗教育現況。

位於台東市郊的達魯瑪克民族實驗小學有學生七十四人，其中五十九個為東魯凱族，其餘十五人也都有血緣關係，是一所道地的東魯凱族原住民學校。

課程規畫完全以東魯凱文化內涵為核心，教授母語、傳唱歌謠、學習工藝及溯源文史外，也與當地耆老合作，指導學生就地取材實作，學習老祖宗智慧，傳承部落精神。

彭校長說，他推動原住民實驗教育，是基於「不能以漢人思維，去看待原住民教育」的理念，之所以有這樣的想法，則源於他在蘭嶼國小當校長時的經驗。初到蘭嶼，他看到那裡的男人沒事就坐在「發呆亭」裡望著海發呆，覺得他們是懶惰的男人。

等真正了解蘭嶼「海洋文化」背景後，才汗顏自己的主觀、偏見及對原住民的刻板印象，也由此體悟到，應以原住民的「視角」，去推動原住民教育。

他說，原住民沒有文字，只有口述和實作的經驗傳承，強要以漢人的思維，要求原住民孩童跟平地小孩同樣表現，不但不公平，有時反壓抑他們的天賦。

他舉一位學生為例，因為成績不好，平常看起來一副怯弱畏縮模樣，可是在運動會上，他卻是睥睨群雄，顯得自信滿滿。

他開玩笑說，從前在原住民社會，跑得最快的人是部落的勇士，可帶領族人打獵並指揮工作，但到了現在，跑得最快的人，卻是成績最差的那位。因此，「因材施教，適性揚才」便變得很重要。

達魯瑪克民族實驗小學所努力的，就是要為東魯凱族原住民小朋友打造專屬於他們的特色課程，讓學生都能依照自己的興趣主動學習，培養解決問題的能力。

學校除積極推動母語教學，營造更貼近東魯凱族文化的學習模式外，也不忘國語、數學、英文等基本學科的加強，因為這些都是很重要的學習基礎，等進入國、高中，就不致有學習失衡或落後的現象發生。

為深根族語，學校對幼兒園廿七位小朋友採沉浸式教學，教導對長輩稱呼問好及生活用語。因屬情境教學，幼兒園小朋友學得快又好，放學回家竟能跟祖父母對話，讓祖父母很驚喜，不但拉近祖孫感情，也讓母語更生活化。

彭校長精彩的經驗分享，讓未來將成為老師的教育系學生省思到，原住民其實並非弱勢，只是相對於主流社會的價值，常被誤解、忽視，甚至邊緣化，但這是文化差異的結果。

「實驗教育」致力的就是要改變這種不友善、不公平的差異，就如同不能要求魚爬樹、猴子游泳一樣。

偏鄉教育是值得關注，但更應思考，原住民學生需要的是幫助？還是另一種教育方式？這或許才是「實驗教育」要追求的理想。

二〇二一年一月十二日 聯合報《民意論壇》

行政過量　學校成超商

蕭福松／台東大學教師

近日台東縣傳出國中小教務主任、總務主任請辭潮，原因是一〇八課綱推動不易，加上未來兩年要完成校園全面裝冷氣，工作量及責任都加重，不少老師把兼任行政視為畏途，能閃則閃，可辭則辭。

老師拒絕與教學無關的工作，以及「行政過量」問題存在已久，一直未獲解決。主要是近年教育政策不斷變動，老師除經常要參加「增能研習」，改變教學方式、提升教學能力外，還得配合政府機關辦活動搞宣導。

老師本職是教學，但繁複的行政工作，把學校變成像無所不賣的超商，老師像無所不能的店員。在現實與教育理想相互牴觸下，很多老師便以拒絕擔任行政作為抵制，也造成校長找不到人兼任的窘境。

一位國小校長無奈地說，每逢新學年開始，他就很苦惱，沒有老師願意接行政工作，千拜託萬拜託都沒用，只好用抽籤方式。抽到的算倒楣，沒抽到也別高興太早，下學年就輪到他。這位校長感慨說，校長幹到這種地步，很沒尊嚴。

三年前，聯合報曾專題報導「當校長及行政職不再有尊榮感，且有責無權的制度下，大家只有競相行政大逃亡了。」

行政大逃亡、垃圾公文太多等問題，當時引起蔡英文總統關注。在師鐸獎表揚大會宣布，要求持續行政減量。只是對照新年度國中小主任爭相請辭事件，顯然「行政減量」及「精簡考核評鑑」並未落實，甚至有增無減。

老師拒接行政工作，不是老師沒有教育熱忱，也不是欠缺團隊精神，而是太多行政工作都是多餘、虛應故事的。

就像一位借調教育處的老師說的，連辦三天的公文，內容盡是愛滋病、節水教育、海洋教育、校園智慧宣導、法治教育、性侵害性騷擾、節制喝酒宣導、國防教育、預防擄童案件、反毒健康小學堂、評估活動風險、書包減重……宣導。他很疑惑，這個政府只會宣導嗎？

不要怪老師不配合、沒責任感，而是不合理的制度，過多無謂的行政工作，澆熄老師對教育的熱忱。

二〇二〇年八月七日　聯合報《民意論壇》

素養怎麼考？

◎蕭福松（作者為國立台東大學教師）

上「社會意識」單元時，提到「公民素養」與「民主素養」，便跟學生開玩笑說：「期末考，考素養好不好？」學生一片譁然，齊聲回：「不好。」

有學生問：「老師，素養怎麼考？」我笑說：「我也想知道，所以考看看。」並問：「有誰可以解釋，素養是什麼？」

學生七嘴八舌，有說氣質、修養、內涵，有說自重自律、遵守法律秩序……。我說：「都對，不過和一〇八年課綱強調的素養教育，好像不一樣。」

一位學生搶著說：「老師，課綱的素養教育，根本就是為素養而素養嘛！」我訝異這位學生的回答，可似乎也不無道理。

教育部推動的素養教育，不是教學生如何培養素養，而是教如何「考」素養。國教院召集老師參加素養導向研習，也不是教老師如何把素養融入教學，而是教如何出素養題，不會出或是把素養題出成應用題的，感覺就像腦筋不開竅，很挫折。

「素養教育」搞得老師很頭大，學生和家長很緊張，究竟是為培養未來人才？還是整小孩？

學者參酌芬蘭、日本提出「三面九項核心素養」，目的是培養孩子面對不確定的未來，所應具備的知識、態度和能力。包括：思考與學習如何學習能力、文化識讀能力、互動表達能力、自我照顧與日常生活技能、多元媒介能力、資通訊科技能力、職業技能與創業家精神能力、參與影響並打造永續未來能力。

若照此指標，我們培養的下一代豈止優秀，簡直都是跨域的通才、政治家、企業家、科學家……，但可能嗎？

素養是很抽象的概念，如果沒有透過行為實踐，進而內化成認知和態度，事實上很難期待培養出有素養的高素質國民。誠如李家同教授說的：「先談學識，再談素養。」學識沒打好基礎，「素養教育」就只是個口號。

一所教會提醒青少年改變行為的標語——「不要對人比中指」、「不要罵髒話」；一位媽媽帶小孩看完街頭藝人表演後，禮貌地把打賞輕輕放進紙箱裡，並對表演者說「謝謝」。前者讓青少年容易心領神會，改正不良行為；後者，則表現謙遜尊重的文化素養，也給小孩做了最好的示範。

「大道至精至簡」，推動素養教育的立意很好，但似乎沒必要把簡單的修養、涵養、教養問題，複雜到用考試還未必搞得懂的地步。

落實生活常規，培養做人的素養，應才是「素養教育」的真正目的吧！

二〇二〇年十二月二十三日 自由時報《自由廣場》

當側錄器取代粉筆黑板

蕭福松／台東大學教師

在「作之師，作之親」的年代，教室是老師的王國，如今「傳道、授業、解惑」的使命感仍在，只是王國已淪為遊樂場。學生不懂尊師重道，老師則多所顧忌，深恐稍有不當管教要求，被學生扭曲渲染，不得不私裝側錄器以求自保。

師生間缺乏互信尊重，導致老師必須用側錄器自保，學生則拿手機偷拍蒐證，都讓本應傾囊相授、快樂學習的校園徹底變質。

上週到國小和老師分享教學經驗，我問：「現在社會重視尊師重道嗎？」老師們都搖頭，再問：「老師能自主教學嗎？」依然是搖頭。

不要怪老師跟不上教育部的腳步，而是太多專家學者的實驗理論紊亂了老師的正常教學，而上級對老師的種種要求與設限，也澆熄老師熱忱，最後都成了只要學生不出事，薪水照領的「教書匠」，這豈是教育目的？

聯合報報導，教育部針對教師教學不力或不能勝任工作事實發布函釋，引起基層教師反彈，批評函釋內容定義不明，恐成為「恐龍家長的護身符」。

基層教師的擔憂不是沒有原因，只要有下列任一情況，包括教學不力、班級經營差、行政不配合、人際關係不佳、情緒管理不當、欠缺和家長溝通能力……，都可能被視為不適任教師。甚至學生間的吵架鬥毆、為維持上課秩序必要的管教，聯絡簿上對學生在校動態的陳述，都可能讓家長到校理論。

一位調至都會區的老師說，她上課第一天，一個婦人站在教室外看她教學，她以為是督學，一問才知是家長。這位女家長不但伴讀，還會提點：「老師，那個不是這樣解釋的。」讓她上課備感壓力。

一位調皮學生因一再干擾教學，被老師叫去教室外罰站十分鐘，不巧被家長撞見，立即找校長理論，又找民代聲援究責，指老師剝奪他小孩的「受教權」，忘了他小孩妨礙其他學生學習在先。

一位低年級學生因常爆髒話，學生向老師反映，老師便在聯絡簿上請家長適時管教小孩的不當言行。沒想到第二天一早，單親男家長就到學校興師問罪，一開口就先三字經問候，然後理不直氣卻壯的說：「我就是不會教，才送他來學校給你教，怎麼你反過來要我教，你做啥小老師？」

基層老師個別面對的情況很多，遠不是教育部治絲益棼的函釋所能涵蓋，討好家長或屈從民代，只會斲損老師對教育的熱忱。

老師投身教育，都想為下一代，特別是資源不豐的偏鄉盡點心力，家長實應給予肯定支持；教育部也應給學校及老師更大的自主空間，而不是用很多條條框框，規定老師這個不能做那個不能管，或許更有助親師互動及學生學習能力的提升。

二〇二〇年十二月二日 聯合報《民意論壇》

蘭嶼珠光鳳蝶瀕危　民間急政府冷

蕭福松／台東大學教師

聯合報報導蘭嶼珠光鳳蝶瀕臨滅絕專題，引起大家對珠光鳳蝶保育的重視。換個說法，假使聯合報未做此深入報導，一旦珠光鳳蝶消失了，相信很多人也沒啥感覺，因與現實生活無關。

但對地球來說，任何生物的滅絕，都是一個警訊，提醒人們再不重視生態保育，也許地球最後就只剩下人和機器人。

二十年前，一位從蘭嶼調回本島的國小校長，在校園角落自費興建一網室，裡頭種滿港口馬兜鈴，每次我去訪視時，他就帶我參觀，詳細介紹他復育蘭嶼珠光鳳蝶的經過。

有一回去，他送我四顆珠光鳳蝶的蛹，篤定地說：「兩天後，您一定可以看到牠們美麗的身影。」

我半信半疑，帶回家放在書桌上。第三天早上，在小孩驚呼聲中，發現客廳有四隻色彩很豔麗漂亮的大蝴蝶在飛舞，小孩興奮得又叫又跳，我趕緊拿相機拍攝，欣賞好一陣子之後，打開門窗讓牠們飛出去。

我很佩服那位校長復育蝴蝶的專業技能，他告訴我，他在蘭嶼服務期間，就已發現珠光鳳蝶瀕臨絕種，而他對昆蟲素有研究，覺得復育並不難。因此，在調回本島後，自行種植港口馬兜鈴，藉以復育珠光鳳蝶，事實證明他復育成功。

接下來，他試著聯絡農政單位，希望獲得合作復育的機會，但得到的答覆是私人不准復育，那是違法的。

他一氣之下，把網室拆了、馬兜鈴毀了、珠光鳳蝶全放飛了，所有研究心血，隨著他退休，只能埋藏在記憶裡。

我對那位校長的挫折，感到十分遺憾，但也不免疑問，政府重視保育又不准私人復育，這是哪門了邏輯？難道怕民間能人高手，搶了學術研究單位的風采、飯碗？

現在從中央到地方都積極推動觀光，離島如蘭嶼，更是「偽出國」的熱門首選。民宿一間間蓋，出租機車供不應求，又為了方便遊客遊覽賞景，停車場、觀景台、遊憩步道不斷闢建，在商機願景迷霧中，原始林地不斷的被剷除破壞。忽略了任何一棵樹、一株草，都孕育著無窮的生物生命，可惜都毀於人類的貪婪和無知。

發展觀光不必然就得犧牲生態，如能兼顧保育，不僅能豐富觀光資源，也能為保育地球盡一分心力。

而這一切實應由有權力做決策的政府來擔綱規劃執行，才不致於政府搶開發、民間搶賺錢，不重視生態保育又各行其是的結果，就像蘭嶼珠光鳳蝶一樣，面臨滅絕的噩運。

二〇二〇年十月十二日　聯合報《民意論壇》

誰是母語的敵人？

◎蕭福松（作者為國立台東大學教師）

母語是否納入本土語言課程，甚至上推至國、高中必修課程，正反意見都有。

近日上課講到「原住民與新移民文化」單元，要學生針對母語教學議題寫報告，發現大家都肯定母語教學對保留傳統語言的價值，特別是原住民學生。

然對教學成效也表示憂心，因為都已上大學了，對母語的使用仍有鴨子聽雷、說不出口的感覺。此似乎也證明推動已十八年的本土語言教學，成效顯然不如預期。

母語是一種語言，也是文化的傳承，政府制定「國家語言發展法」，是對於多元族群的認同和文化的尊重，立意及用心都值得肯定，但也不能忽略外在環境及潮流趨勢演進的影響，否則，浪費的不僅是教育資源，更是學生寶貴的學習時光。

根據《全球族群探索》研究，全球至今仍有近六千種語言被使用，但有一半的語言沒有傳授給孩童，意味著這些語言注定要滅絕。

在這六千種語言當中，只有三百種語言，使用人口超過一百萬人，並且平均每兩個星期，就有一種語言在地球的某處消失。換句話說，除非有足夠的人口數支撐語言的流通，否則，自然消失將是無可避免的結果。

把母語納入語文課程，對保存母語、傳承文化具有一定的功能，但是否就能達到下一代能講、肯講的目標，並不盡然。

我曾請教本身是民代、醫師、校長的原住民朋友：「在家裡和孩子講母語嗎？」不意外的，除跟長輩外，他們並不和孩子講母語，反要求孩子學好國語、加強英文。不能怪原住民菁英不重視自己的母語，而是時代在進步、環境在變遷，資訊世界隨時有新語言出現，相較之下，母語變得不是那麼重要。

從教學現場看，把原本在家裡或部落可自然開口說的母語搬到課堂上，再利用羅馬拼音教學，其實已不是學母語，而是學另一種「外國語」，況且一週只一節課的母語課程，能學會多少也不無疑問。每年舉辦的母語朗讀、演講比賽，很多是老師撰稿、學生背誦，再添加點表情手勢表演出來的，成效可想而知。

另據內政部統計，台灣外配人數已超過六十萬人，他們的下一代，即所謂的「新二代」約有四十萬人，到底講國語？講爸爸的話？講媽媽的話？也是個問題。

父母是孩子學習母語最好的老師，家庭是母語最好的學習場所，如果連父母都不講也不教，卻期待透過母語教學來承擔保存母語及文化傳承的重責大任，恐寄望太高，也不切實際。

二〇一九年十一月三十日 自由時報《自由廣場》

評侯友宜「發成績單要看日子」之反教育

◎蕭福松（作者為國立台東大學教師）

現在孩子生得少，但未必個個都是父母的寶，還得看父母的觀念認知及情緒狀態。有的孩子被寵溺過度，成了爸寶媽寶，變成社會累贅，也壞了自己一生；有的則是虎爸虎媽嚴管嚴教，凡事都得照父母的要求來，成績表現不好，就等著被K、被羞辱。過猶不及，老實說，都不是適當的管教方式。

要讓孩子「適性發展」，既不能縱容放任，也不宜強加框架束縛，給予孩子關愛、鼓勵、信心，養成自動自發、自律自愛習慣，才是根本教養之道。

很少有家長不關心、不在意孩子的學習成績，但成績只是反映該階段的學習成果，並不代表考得好就是聰明，考不好就是笨蛋。如何激發孩子的學習動機、興趣，保持學習的熱忱，應才是教育的重點。

拿成績來評斷孩子的優劣、用功與否，只顯得父母教養常識不足；在連假前要求學校不要發成績單，以免破壞家庭和樂氣氛，甚至引發家暴，尤顯得矯枉過正，關心過頭了。

新北市長侯友宜在新北市校長會議上，拜託國小校長在連假的前一天，不要發成績單，因為他認為成績單是促成家暴的因素之一。

侯市長關心小孩受虐現象，無可厚非，但要學校「擇吉日」再發成績單，就真的為難校長了。

校長都歷練過老師、主任職務，有豐富的教學經驗，對教育理論、兒童心理學，都有相當的認知。侯市長基於「防治家暴」出發點，要校長去做「反教育」的事情，實是外行人講內行話，錯用了市長的高度，也管得太細微末節了。

如果照侯市長的說法，那是否以後小孩子在學校犯錯也不必告知家長，以免小孩子回家被父母責罰，破壞家庭和樂氣氛，甚至被家暴？

孩子被家暴，問題不在成績單，而在家長的情緒管理。

侯市長應關心的，是要如何教育家長管控好自己的情緒，而不是要求學校連假前不要發成績單，搞錯重點，只會讓學校老師無所適從，學生的學習能力更低落而已。

二〇一九年八月二十六日　自由時報《自由廣場》

控制玩手機時間　成癮找醫師

蕭福松／台東大學教師

3C產品未出現前，電視機曾被拿來當保母用，被形容是「插電的毒品」。曾幾何時，手機、iPad不但取代保母，對嬰幼兒視力以至身心發展的危害程度，更不知強過電視機多少倍。聯合報「願景工程」深入報導3C破壞王議題，實值得新手爸媽及所有當家長的警惕。

筆者每次到學校演講「親職教育」，家長最常問也最憂心的問題，是如何不讓小孩過度依賴手機。

要小孩不拿手機或不接觸3C，幾乎是不可能，即使家長不買，小孩同樣可從同儕處獲得，極端者甚至會以不正當手段取得手機。

家長能做的，是在使用時間及月租費上規範，要讓小孩知道，手機可以用，但必須克制且有限度，也藉此養成小孩「為自己行為負責」的習慣。

有嬰幼兒的年輕爸媽，絕不能因想安撫小孩，或誤以為及早接觸3C可刺激智育發展，忽略對小孩視力傷害及手機依賴成癮的影響。

一回出國，友人帶兩名孫兒參加，一個念小二，一個念幼稚園大班。兩個小孩從候機開始，一個拿阿公手機，一個拿阿嬤手機，就專注且熟練的玩電動。當準備登機，友人要拿回手機時，小孩明顯露出不悅的表情。

往後幾天行程，只要一得空，兄弟倆便旁若無人開心玩手機，任阿公阿嬤勸阻都無效，甚至阿嬤要拿回手機時，竟動手打阿嬤，隨後哭鬧耍賴。我提醒友人：「小朋友可能有手機成癮現象，要小心！」友人告以兒子媳婦工作忙，就讓小孩玩手機，這正是問題所在。

很多父母拿手機給小孩當玩伴，都加重小孩對手機的依賴，手機一旦成癮，就會有情緒不穩及人格扭曲傾向，實不容忽視。當小孩出現手機成癮現象，就要尋求醫師諮詢。

二〇一九年五月二十八日 聯合報《民意論壇》

教育沒打好基礎　再多投資也枉然

作者：蕭福松（台東市／大學教師）

行政院宣布將自一〇七學年度第二學期開始，高中職以上農漁子女獎助學金加碼三成，在總統選舉之前釋放利多，用意不言可喻。

站在鼓勵貧困學生努力向學立場，增加獎助學金，確有助收入較低家庭減輕負擔，然而「刪除成績規定」，就值得商榷了。

窮苦孩子用功讀書，是為了出人頭地，也改變命運，政府設立獎助學金目的，一方面是獎勵用心學習成果，一方面是激勵繼續努力。

如果連最起碼的七十分成績要求也取消，實無異鼓勵「不勞而獲」，對一直被貼「弱勢」標籤的孩子，恐愛之適足以害之。

現在孩子念高中上大學不難，難就難在缺乏積極努力精神及謙虛勤學態度。

高雄市一名大學英文教師在臉書上貼文說，大一英文期中考英翻中，有人把「heart attack（心臟病）答成「恐怖攻擊」，有人「臟」字不會寫，寫注音也拼錯，甚至有學生直接在試卷上寫「放棄考試」，讓這名老師很挫折，直嘆「快教不下去了！」

讓老師教不下去的原因，不僅因為學生程度參差不齊，更嚴重的現象，是學習意願低落與學習態度不佳。

我同學在北部大學任教，日前在臉書上貼文：今天期中考，考前再三叮嚀考試時間，也分別以 email 提醒，遲到十分鐘便扣考，但仍有學生遲到。問為何遲到？遲到三十分鐘的低頭說，沒有任何理由，請給機會。遲到四十八分鐘的，告知只剩二分鐘，名字寫完便要繳卷，聽完悻悻然離去。

遲到十五分鐘的有三個，遲到理由是因為下雨。問：住那裡？學生答：宿舍。但宿舍走到教室，也不過五、六分鐘，老師重申「請把規定當一回事」，結果其中一個學生說：「那我不要考了！」掉頭離去。

我同學很困惑，是自己有問題？學生有問題？還是家庭教育、社會風氣？沒有在教學現場的人，很難理解現在大學生的學習心態及程度素質。這學期教進修部，規定六時十分上課，但總得等到六時四十分，才「勉強過半」上課。

陸續進來的遲到學生，手裡拿的不是飲料就是杯麵，一進來先跟鄰座寒暄、打招呼，然後吃東西，完全無視老師正在上課。

至於上課講話、滑手機、趴著睡、隨便進出更是常態，真懷疑學生把大學教室當作網咖、KTV，可以自由來去？

程度更離譜得超乎想像，札記報告寫不了幾個字，劉邦、劉備搞不清，難怪張飛會打岳飛。

我必須一邊上課，一邊隨時糾正學生不當的干擾舉動，才能維持上課秩序。不禁納悶，都沒有人教他們生活禮儀、上課規矩嗎？家長沒教，學校也不教嗎？

大學生素質低落是不爭的事實，只想輕鬆拿文憑，卻不想用功學習。大學考招程序繁複，嚴選嚴篩，但有培養出有理想目標、會自我期許、能主動積極、懂得自重自律的大學生嗎？

教育部倡導「素養教育」，可是在大學生身上，卻很難看到學識、內涵、教養，反而普遍是低學習動機、低成就表現。

教育若不能從最根本的「道德自覺」及「尊師重道」著手建立好基礎，則再多的教育投資、再好的翻轉教學技巧，也只是教出一群自以為是的「魯蛇」罷了。

二〇一九年四月二十五日《人間福報論壇》

教師節感受學生知恩

蕭福松（台東市／台東大學教師）

教師節前夕，陸續收到學生透過 Fb、Line 或者寄卡片傳來祝福，心裡滿滿感動。

這些大學已畢業多年的學生，有的當老師了，當他們對老師表達祝福之意的時候，相信也同時收到學生「教師節快樂」的祝福。這種懷念、感恩的體現，在師道尊嚴不再的今天尤顯珍貴。

一位體大博士生的學生，尤其令我感動。他返鄉都會到家裡來，遞上從台北買的知名蛋糕，笑說：「老師，教師節快樂！」

每年教師節，他都不忘給我祝福，即使到國外參加研討會，也會寄風景明信片報平安。

教師節前夕，他送蛋糕來，我請他進屋內，他說他伯公過世，還未滿對年，不方便進入人家家裡，我說沒關係，我沒這個忌諱。他說：「我媽有特別交待，怕造成別人不便。」師生二人就在門口聊談。

送他離開後，心裡十分感佩他的父母把他教養的那麼好。一個會尊師重道的人，一個會替人設想的人，絕對是心地善良、品行端正的人，將來也絕對是個好經師、好人師。

已唸到博士班的年輕人，不見驕氣，一貫地謙沖，執師生之禮，表現對老師最大的敬意，令人欣慰感動，值得青少年學生學習。

二○一六年九月二十七日　《人間福報論壇》

「說大人則藐之」不是指鼻子罵

蕭福松／教（台東市）

乍看清大學生聲色俱厲地怒斥教育部長畫面，誤以為大陸文革時期紅衛兵「反動無罪，造反有理」的場景在台灣上演。

對學生而言，或許「說大人則藐之」，才能彰顯自己的理直氣壯。但「藐」的本意，是不因對方的官階、地位而自縮，可是基本的禮節、尊重還是必要的。

只為「輕鄙」對方，故意用倨傲無禮的態度、尖酸刻薄的語言羞辱對方，只突顯自己的膚淺無知，強做「大人模樣」。

學生關注公共議題是值得肯定的，但應建立在客觀、持平、理性討論的基礎上。

看到學生手指著蔣部長鼻子，滿口盡是「虛偽」、「偽善」、「裝死」字眼的畫面，不禁感慨台灣的生活教育、品德教育、民主教育，徹底失敗了。

所謂的「民主」，也只是半生不熟、半調子的「民粹民主」。

二〇一二年十二月五日　聯合報《民意論壇》

學生過勞　教育當局是幫凶

蕭福松／大學講師（台東市）

兒福聯盟調查發現，不是只有大人會過勞，國中生也有提早「過勞」現象。國中生正處於生理、心理同時發展期，「適性發展」應是最佳的成長模式，不幸的是，現在的國中學生背負太大的升學壓力。家長普遍認為孩子在國中拚出好成績，將來才會出人頭地。

家長有此想法，學校理所當然配合，主管的教育當局也不置可否，大家有志一同，都成了「升學主義」的幫凶。

國中生「沒睡飽」、「過勞」，是很荒謬的教育現象。

固然家長重視孩子成績的心情，是可理解，但學校沒有理由成為幫凶。當國中教育只剩下考試與補習，孩子「沒睡飽」自成了必要的犧牲。

二〇一一年十一月二十七日　聯合報《民意論壇》

G點留言　學生創意？玩性過頭？

蕭福松／台東大學講師（台東市）

高師大三月中將舉辦校園演唱會，目前張貼出來的宣傳海報，用語、插圖十分辛辣、勁爆，被認為是突破禁忌，極富創意。

海報的主題是「國立高雄師範大學藝術季活動邀你一起來『高潮』！」「高潮」兩字取自高師大燕巢校區諧音，博閱者一笑，無傷大雅。但構圖部分，不但設計有「G點」留言看板，且以男女性器官繪圖，凸顯「菊花」、屁股等隱喻同志話題，就很可議了。

且根據流程安排，在活動結束後，將從看板上挑選五十則最讓人臉紅心跳的G點留言，在演唱會當天，邀請十五位「激情勇士」上台「叫春」。

現時較勁爆的留言有「X主持人，我可以和他一起高潮嗎？」、「正妹在哪？來讓我攻陷吧！」、「你他媽的白色情人節！巧克力有那麼好吃嗎？去死吧！」

很難想像，一個單純的校園藝術季活動，弄得像在搞情色大賽，海報主題與活動設計，似乎都圍繞著男女情慾話題。這樣一個活動，看不出與標榜心靈淨化的「藝術季」有關的美感和創意，只見識到大學生的膚淺和不成熟。

不諱言，很多大學把大學生視為天之驕子，不敢管也不敢教，對學生荒誕不經的行為，猶美化是自由多元創意的表現。

問題是大學是培養國家未來人才的搖籃，不僅只是無厘頭搞笑或談戀愛、搞同居、同性戀而已，應還有更深沉、穩重的學問、品行、人格的學習和涵養。

比較令人擔憂的是，一個滿腦子情色想像、滿口粗鄙髒話的師資生，將來如何成為教育別人子弟的稱職老師？

大學生的熱情創意是應予支持，但應是引導其正面地對自己行為負責、對社會人群關懷，而不是變相鼓勵地默許其我行我素、自以為是。

二〇〇九年三月四日　聯合報《民意論壇》

良好教養造就高素質國民

◎蕭福松（作者為國立台東大學教師）

在強調追求多元、卓越、創新的今天，談公德心及生活教養，顯得很迂腐、落伍。可是如果大家都只看重表面的光鮮亮麗，而忽略更重要、更本質的公德心與生活教養，則輸掉的不只是個人的人品形象，更可能是整個社會傳統道德觀的集體墮落。

從北捷鄭捷隨機殺人事件，到小琉球渡輪上兩名大學生光著腳丫蹺在前座上，以至在日本溫泉飯店渡假的臺灣大學生把和風紙門當成「戳戳樂」，惡搞破壞。一連串「年少輕狂」之舉，很讓人懷疑現代的年輕學生到底有沒有教養？教育部極力推行的「品德教育」，成效又如何？

生活教養是一種平凡、平實、平淡的生活態度，來自對自己、對別人的尊重，也珍惜自己及所有生物的生命。在「民胞物與」、「孝親尊長」的倫理基礎上，學習得體的應對進退及待人處事之道，進而培養謙虛、禮讓、體恤、不造成別人困擾的公德心。

生活教養緣於父母親的良好身教及言教，公德心則是生活教養的具體呈現。有良好教養的人，在公共場所不喧嘩、不嘻鬧、不爭先恐後、不亂丟垃圾、不妨礙別人。彰顯的不僅是個人優雅、從容的涵養，更是高素質國民的表現。反之，言語粗俗、動輒嗆聲、要個性、耍流氓、我行我素，則只凸顯膚淺、幼稚、自私、沒教養。

新北市一家餃子館老闆在網路上PO文，提及五名來臺灣自助旅行的日本年輕人在他店裡用餐的經過。他說，這五名日本年輕人在服務生送上餐點時，會不斷地點頭表達謝意，沾料只取適量，餐巾紙也不亂抽，很安靜地用餐。

用餐完，所有餐具都整齊地堆疊在一塊兒，並用衛生紙將滴在桌面上的醬汁擦拭乾淨，結帳後，還禮貌地向店家鞠躬致意後才離去。老闆忍不住感嘆：「看看日本年輕人的生活教養，出國旅遊絕不丟國家的臉，我們真該好好學學。」

相較於日本年輕人出國旅遊不丟國家的臉，臺灣的大學生到日本旅遊，竟把住宿溫泉飯店的和風紙門當成「戳戳樂」，玩得不亦樂乎。飯店老闆娘見狀，難過地當場痛哭，在飯店工作的臺灣員工看不下去，PO文將整件事情披露出來，痛罵臺灣大學生把臉丟到國外。

或許有人認為那只是個例，是少數年輕人「一時興起」的好玩行為。可是，當臺灣大學生的個例和日本年輕人的個例，形成強烈對比時，就不由人不汗顏，臺日雙方家長對小孩的生活教養，竟有那麼大的差異！

為何日本年輕人在國外旅遊，表現出溫文有禮，極有教養模樣，而臺灣大學生住宿日本溫泉飯店，卻是「全家就是你家」、「只要我高興，有什麼不可以?」，想怎麼玩就怎麼玩。這樣一個顯著的差異對比，不僅凸顯國民素質優劣良窳的差別而已，也是未來是否具備競爭力的重要指標。但很遺憾地，國人習慣把新世代的競爭力，界定在外表看得見的高學歷或優異競賽成績上，卻忽略內在的德行、修養和內涵，對一個人生活以至人生的長遠影響。

換句話說，大家普遍看重外顯的競爭力，而忽略了更重要的隱形競爭力——品德和教養。只重視表象的學歷、能力和成績，卻忽略最根本、也是做為人最重要的人文素養及品德修為，很可能只是在培養一堆「金玉其外，敗絮其中」的菁英人才而已。縱然擁有很高的學歷、很好的能力，也無法真正落實到國家長遠持久的競爭力上。

臺灣年輕人在公共場所大聲喧嘩嬉鬧、講手機、邊走邊吃零食、垃圾隨手亂丟，在捷運上橫躺；大學生上課穿拖鞋、看影片、滑手機、趴著睡覺……。不懂得尊重、禮讓、體諒，也缺乏理想抱負，不勤學、不好學，自以為是，也自私得可以。

種種脫序、逾矩的行為，部分教育專家非但不認為不妥，反而認為是「適性」、「多元」、「自主」的表現，應予尊重。家長也誤以為孩子只要會念書、會考試就是競爭力，這些都讓高素質社會必須具備的「無形競爭力」無從建立。

過去國中小學尚有「公民與道德」、「生活與倫理」課程，九年一貫後，全部「融入」各科教學，但不曉得融到哪裡去？學校不再教「四維八德」道理，學生也不知「晨昏定省，灑掃應對」為何物？加上每個孩子都是父母的寶貝，寵溺疼愛有加，卻不重視孩子的生活習慣及常規養成。

一味尊重、縱容的結果，便是養出一大群不知天高地厚又自以為是「天之驕子」的「潑猴」來。

尤其令人憂心的是，包括媒體及社會，都對年輕學生明顯逾矩、脫序的不當行為，抱持尊重、寬容的態度。莫名地把幼稚當天真、把搞笑當創意、把粗魯當率直、把無禮當性格、把邋遢當時尚、把無理取鬧當抗爭有理……。在在都讓欠缺人文底蘊及內涵修養的年輕學生越發玩世不恭、目中無人、目無法紀。

社會及媒體包容、寬容年輕學生種種膚淺、幼稚、脫序、魯莽的行為，卻不適時糾正、導正，恰如「愛之適足以害之」。傷害的不只是年輕人反省惕厲、自我成長的機會，也無異解構社會傳統的倫理道德價值。

大學生在日本惡搞溫泉飯店的事件，如同警專生惡搞成功嶺軍營一樣，或許可解釋是酒後好玩之舉。但一個缺乏自省、自重、自律，也不懂得尊重別人、愛惜公物、守法守紀的人，如何期待他們有正確的價值觀認知？有高素質的國民表現？將來能擔當重責大任？

談競爭力，不能只看表面的硬實力，尤應特重軟實力（良好教養及高素質國民）的培養。唯有厚實下一代的無形競爭力，才能傳承倫理文化，延續民族命脈，國家也方能長治久安。

二〇一四年十月二十四日　法務部調查局《清流雜誌》

缺德教育是怎麼教出來的？

◎蕭福松

台鐵列車上，一名婦人把前座的枕巾拿來當吃便當的餐巾，在其他乘客提出糾正時，還臉不紅氣不喘地說：「我會把它洗乾淨，你可以不用擔心。」甚至說自己很可憐，連拿枕巾墊個便當都不行。

這名婦人的確很可憐，可憐到一點自省能力也沒有，可憐到自己在做甚麼也不知道。這已不是特例或偶發事件，而是生活中經常可見的現象，究竟是「歹年冬魈人多」，還是台灣社會病的很嚴重？

若僅是個人沒有公德心的行為，或許尚可歸因是教養及修養的問題，但假使類似情況普遍成常態時，就是整個教育價值的崩毀、是非觀念的混淆，以及行為準繩的錯亂，乃衍生出諸多「理不直氣卻很壯」的無稽怪象來。

大二生連續曠課三個月被退學，媽媽不但沒檢討小孩缺課原因，反怪罪學校「不管死活」，要求賠償學費。小孩在路上玩球，害經過的騎士摔車受傷，家長竟嗆：「要告就去告那顆球啊！」

搭機遇嬰兒狂踢椅背，恐龍家長兩手一攤：「小孩就這樣，沒辦法啊！」小孩頑皮，在燒烤店服務生更換烤網時，推她造成燙傷，奧客媽媽沒道歉，還說：「那個姊姊就是站沒站姿，才會跌倒受傷」。

不可理喻事件每天都在發生，妙的是「自以為是」的人，說的振振有詞，卻是歪理一堆，吃虧一方除自認倒楣外，只能嘆「世風日下，人心不古」。做錯事仍硬拗、瞎扯，這是什麼樣的社會氛圍所影響？是什麼樣的教育養成？

在火車上拿枕巾當餐巾，用完再丟回前座，面對質疑也能從容應對，根本不當一回事。難怪有人會把臭腳丫跨在前座，有人拿枕巾擦鞋，甚至帶回家當紀念品。

如果說台灣還停留在二十世紀，這種行為或可解釋是「村夫蠢婦」的無知之舉，但已進入二十一世紀，仍出現這種愚昧行為，就要檢討教育為何沒有起到改變作用。

教育不僅傳授知識，更要教導如何做一個「有素質」的人，然現代教育偏重知識灌輸，少了「生活與倫理」、「公民與道德」。

當學生讀書目的只為考試，家長對學生的期待，仍停留在「只要會唸書就好」，人品品德、生活教育注定是被忽視的。家長不重視孩子的教養，學校也無從建立典範，若再加上本身缺乏自省能力，則種種脫序違規舉措，也就不讓人意外。

問題是當國人習慣性地表現出自私、旁若無人、我行我素的行為時，是否意味台灣正往「低素質社會」傾斜？台灣空有高教育率的虛名，卻沒培養出高格調、有風骨的知識份子，遑論沒公德心的庶民。

當教育無法改變人心，無法提升國人素質時，就只能仰賴路人甲、路人乙的「道德勇氣」了。

二〇一八年五月二十二日《波新聞》

偏鄉教育不應淪為愛心輸出場

◎蕭福松

花東一向被視為「後山」，偏鄉學童理所當然被認定是弱勢。「弱勢」成了都市人向後山輸出愛心和關懷的出口，「弱勢」也成了偏鄉學童自我限縮矮化，甚至是博取同情、尋求援助的代名詞。

善心人士及公益團體關懷偏鄉、熱心行善的精神，令人感佩，只是當愛心輸出到後山時，就變成是同情和施捨。發現偏鄉小朋友衣服破舊、有一餐沒一餐，也沒有都市小孩擁有的手機、平板時，就在物質方面，不斷提供吃的、穿的和用的。

看到偏鄉小孩因城鄉差距、數位學習落差造成的「雙峰現象」，便透過各種名目的課輔和補救教學，想幫後山學童提升學習能力。

當各種愛心關懷和對「後山教育」憂心忡忡的力量，匯集到花東兩縣時，除看到很多愛心物質不斷湧入外，也看到各種補救教學理論，輪流在偏鄉小學實驗應用。很多人急欲表達愛心關懷，更多人想把崇高的教育理念，澆灌在這塊他們認為弱勢、落後的貧瘠土地上，都讓教育的本質「變質」，也徹底「翻轉」了。

一位校長早自習巡堂時，發現廚餘桶裡有很多未拆封的三明治，問學生：「怎麼沒吃？」學生回答：「吃膩了。」她當下心裡一陣痛，「愛心早餐」的美意，是被曲解？被蹧踏？還是得來太容易？

另位老師說，學校成立的獎助學金確實幫助不少家境貧困卻力爭上游的學生。可是後來卻發現，連成績表現平平，缺乏學習動力的學生，竟然也能領取，他不禁懷疑，到底是幫學生還是害學生？

教育是一個感動的過程，生命的韌性毅力，更需要困頓的環境來磨煉、淬煉、砥礪，當「施」與「受」都變成理所當然時，就自然少了分真誠、珍惜和感恩。孩子們習慣伸手、習慣等待別人援助、習慣把「弱勢」標籤往自己身上貼時，其實正削弱其學習獨立、自立成長的本能，也扭曲「辛勤、努力、付出」的價值觀。

滿懷愛心的人士自以為在成就「善行」的同時，其實，都不知不覺成了「剪繭的人」。害本可破繭蛻變、振翅飛翔的蝴蝶，終其一生只能拖著臃腫的身軀在地上爬。

此外，為彌補偏鄉小學的學習落差，不斷進行各種課輔及補救教學。專家以他們認為重要的東西，強加在偏鄉學童身上，雖名為補救，實無異否定學校的正常教學，也如同質疑教師的教學能力。並且所著眼的，究竟是學生的學習成績？還是學習動機？都不無疑問。

當偏鄉教育成了很多愛心和關心教育人士展現慈悲和教育理念的「平台」時，事實不是幫助，而是剝奪偏鄉小孩的創意空間和學習獨立成長的機會，也弱化其自我突破困境的本能，更讓原本該負教養之責的父母變得無所事事，豈是妥當？

二〇一八年二月九日《波新聞》

愧為人師的「有教有類」

◎蕭福松

當老師最感得意的，莫過於「得天下英才而教之」，英才意味聰明、勤學、優秀，學生有成就，老師自與有榮焉。

不過，不是每位老師都能集英才而教之，一般而言學生資質都差不多，差別只在夠不夠用功努力。老師的責任，就是激發學生的學習興趣與熱忱，經由動機的引導，開發學生各種潛能，讓學生因受教育而開啟知識之門，甚至因老師的諄諄教悔、循循善誘，找到努力的目標，進而改變命運、翻轉人生。

老師的工作是「傳道、授業、解惑」，這是教育的天職，然面對不同個性、性向，以及不同家庭、社經背景的學生，老師是否仍能抱持平常心，對學生一視同仁，沒有差別心，尤為「育人」成功的關鍵。

「老師是學生的貴人」彰顯的是老師的愛心耐心、用心教導，指引學生正確的人生方向。也許無法個個出類拔萃，但起碼不會成為社會的負擔，不會丟老師的臉，其實已算是成功的教育。

老師對學生的期望，一如家長對子女的期許，都希望成龍成鳳，但必須考量孩子不同的資質個性、家庭環境和學習條件，事實是很難要求一致的學習成效。如果因為老師「求好心切」或「恨鐵不成鋼」，而對學生有了差別心，將學生按成績好壞分等級，彷彿「種姓制度」

社會的重現，是極不恰當的教育方式。

台中市有國小老師按學生成績好壞，將學生分為三等，成績好的是上等人，普通的是中等人，不及格的則為下等人。下等人中又依「病情」嚴重程度，分為癌症一期、二期和末期，末期就表示沒救了。

老師或許想以此刺激學生更用功努力，卻疏忽學生的自尊心和心理感受，面對同儕「你是癌症第幾期？」的戲謔之詞，學生心理不受傷嗎？有學生不堪老師公然在課堂上指稱「你是癌症末期」，氣得轉學，家長也憤而向媒體投訴。

老師給學生貼標籤，面對質疑，辯稱是為學生好。若真的為學生好，應該是鼓勵輔導，而不是嘲諷羞辱。小學生心智尚未成熟，一旦心理受創，可能封閉自己，也可能因此厭惡學習、放棄學習，身為教育工作者的老師豈能不慎？

不諱言，在部分老師觀念裡，認為只有教出優秀學生、表現亮眼成績，才能證明自己是好老師。成績差的學生正是阻擋自己成為好老師的絆腳石，忘了教育是培養小孩成為有知識、會思考、重實踐、能守法的重要冶煉工程，追求的是知識傳授、人文素養與品德修養的「全人教育」。如果只問成績不重德行，或只強調教學績效，卻不問學生個別專長能力，那只能說這類老師的「教育學程」是白修了。

二〇一八年六月十六日 「東方論壇」

大學生的低俗趣味「淫新」

◎蕭福松

接連爆出大學迎新活動充滿羶腥色內容，讓孩子甫上大學的家長憂心不已。擔心孩子會不會因此被嚇壞或帶壞？會不會導致觀念和行為的偏差？這種非典型迎新活動，算不算是霸凌？最大的困惑，迎新活動怎會搞到如此低俗地步？

「青春不留白」、「人不輕狂枉少年」，是很多大學生追求刺激冒險的合理化藉口。但假使沒有厚實的學問做底子、沒有遠大的理想做引導、沒有高尚的道德做把關，則偏差、自以為是的認知，往往會演變成荒誕不經的作為來。

大學迎新活動通常由系學會籌辦，透過活動規劃與進行，讓新生和學長姐們建立良好互動關係，提供必要的精神支持、生活照顧與學習輔導。迎新活動的立意很好，校方普遍抱持樂觀其成態度，未多加干涉。

然隨著社會風氣的轉變，迎新活動也變得很「社會化」，講求趣味之餘，也強調創意。只是創意不是在學理、藝術，或增進人際互動的關係上去尋求，反而模仿酒店或低俗綜藝節目，拿男女身體當話題，以極其粗鄙語言呈現，把肉麻當有趣，低級當趣味，難怪新生嚇壞、家長火大。

某大學舉辦校園演唱會，張貼出來的宣傳海報，大喇喇寫著「高巢之夜，你溼了沒？」用語、插圖都十分露骨，被認為是突破禁忌，極富創意。另設「G點」留言看板，以男女性器官繪圖，凸顯菊花、屁股等隱喻同志話題。充滿性暗示的低俗標語，令人瞠目結舌，這就是大學生的創意。

在已爆的大學迎新活動中，竟有脫內褲內衣、吸別人腳趾的節目，嚇得新生不知所措，打電話向家長求助。更有的在活動關卡的隊呼牌上，使用「妳們這些老處女，奶小無腦又沒料，女生垂奶搖搖搖……」等不雅字眼，都引發軒然大波。不禁質疑迎新活動是否已變質？更懷疑大學教育出了什麼問題？

大學迎新年年辦，但傳遞的是優良校風系風？還是低俗電視模仿秀？表達的是真誠友善、互助關懷？還是情慾情色、惡搞整人？都要檢討。很多新生迫於學長姐及同儕壓力，怕被排斥勉強參加，但內心的反感及挫折可想而知。

校方並非不知學生在做什麼，但事實卻難以介入，只能期待學生自重、自主管理。但假使學生不自重、不具人文內涵，也欠缺對學弟妹的尊重關懷，則迎新變「淫新」，也就不足為奇。

大學生的熱情創意當然應予支持，但學校有也責任引導其正向發展。注重品行人格的涵養，學習理性成熟，學習對自己的行為負責，學習對社會人群關懷，不自以為是、不膚淺、幼稚、低俗，方不辱知識份子美名。

二〇一六年十月二十二日「東方論壇」

被專家搞丟的高三下課程

◎蕭福松

國教行動聯盟及全國家長會長聯盟等團體日前集結教育部前，要求招聯會公布公聽會調查結果，並體察民意，讓高三學生能完整學習。

家長們關心的是大學考招要怎麼改？也呼籲招聯會不要一意孤行，應從對學生最有利的學習角度去思考，做必要的檢討改進，不要一味在考試、計分等枝節上計較打轉，反忽略高中學習真正的目的。

現行大學入學考試分兩階段辦理，一月底二月初辦理學測，七月舉行指考，這是為配合所謂的「多元入學」方案而設計的，然問題也正出在這裡。高三課程才進行一半就學測，考試的範圍縮小，學習的成效自然打折，再以台灣的教學慣性，考試不考的，教學也免了。

高中課程僅上兩年半，學生不能完整學習，學校也無法正常教學，學生上高中，不再是為追求更高深學問或為銜接大學做準備，僅僅為了學測、指考。

高中學習不完整，已是個非常嚴重的問題，而學測放榜後的學校推薦及個人申請，更是學生和家長噩夢的開始。家長必須帶著孩子南北奔波於各大學間，花錢花時間花精神，卻未必就有學校念。經濟能力好的家庭，或可支應所費不貲的報名費、交通費、住宿費，經濟情況差的學生，就只能無奈放棄了。

多元入學的目的，是希望不同資質、天賦的學生，能依個別的興趣、專長選擇喜歡就讀的科系，避免有遺珠之憾，也不要讓分數決定孩子的未來。可是，演變到最後，多元變成「多圓」，不但阻礙公平升學、拉大貧富差距，都讓窮困學生更難有翻身機會。

又為了符應「全人教育」的目標，在計分評比上增加很多無謂的項目，除徒增紛擾外，實際並無助學生求知若渴及品德教育的養成。最荒謬的是高三下學測放榜後，已有大學唸的，開始輕鬆逍遙，沒大學唸的，繼續苦讀拚指考，形成「一班兩制」，甚至「放牛吃草」的混亂局面。原本應三年完成的高中學業，提早兩年半就結束，難怪上了大學，很多基礎學科跟不上。

教改二十年了，衍生的亂象，幾可以「罄竹難書」形容。廣設大學、輕視技職、強調學生人權、貶抑必要管教……，都讓傳統價值崩解、師道尊嚴不再。教改專家們以其自詡的教育理論，輪番在課程、考招上「實驗」，讓百年樹人的教育之路愈走愈偏，大學入學考試變成整人遊戲。

最大的疑問，高中課程難道就只為了應付學測、指考？在這種框架束縛下的學生，會有思考力、創造力、競爭力嗎？能培養出開闊胸襟、宏觀視野嗎？

或許招聯會的專家們，應聽聽第一線老師及家長、學生的心聲，試著務實、眼光放遠一點，不要再一意孤行了。

二〇一六年九月二十四日「東方論壇」

台灣的大學生怎麼了？

◎蕭福松

「台灣的大學生怎麼了？」這是一位外籍教師心裡的困惑，他說，提出這樣的質疑，實在是「忍無可忍」。

來自義大利的韋佳德，本身是藝人也在多所大學兼課，日前在臉書上PO文，表示他在上課時，忽然有一群學生闖進教室，什麼話也沒說就大剌剌坐下，完全不管有人正在使用教室。

他善意告知這群學生他正在上課，這群學生卻回應「我們也要上課呀！」這群學生上的是下午一點半的課，但當時還不到一點十分。

韋佳德問：「大家認為這種目中無人、妄自尊大、毫無教育素養的行為正常嗎？是我大驚小怪嗎？」他納悶在這些學生眼裡，似乎什麼都是應該、理所當然的，不懂基本尊重，更何況道德倫理，令人無法接受。他還特別提醒其他老師，與其教學生托福必考文法，不如教他們基本禮貌以及做人處世的道理。

由一個外籍教師來提醒大學老師要教懂大學生「基本禮貌及做人處世道理」，不正說明我們的國民教育和家庭教養徹底破功。大學生莽闖上課中的教室已非第一次，讓韋佳德憤而想離開台灣的教育圈。

其實，想離開教育圈的何止他一人，很多尚未屆齡的校長老師都急著退休，不是他們沒有教育理想，也不是不想貢獻所學，而是崩壞的社會道德和扭曲的教育環境，讓他們熱忱不再。

上級只重特色績效，錯亂了教育本質；人本人權當道，學生不能適當管教，都成了日本學者眼中「拿著行動電話的猴子」。小學不懂尊師重道，進入更自由放任的大學，自然更我行我素、目中無人。

一位大學老師說，他上課從不點名，因為來不來上課是「他家的事」，父母辛苦賺錢供他唸大學，不想唸，靠點名有用嗎？他也不當學生，萬一他當學生，等期末教學評鑑，就換學生當他了。他苦笑說：「學生得罪不起啊！」

另一私校老師甫完成大學推甄作業，抱怨學校只問學生願不願意來唸？其餘「就讀動機」、「讀書計畫」的面談全免了，老師的任務只剩帶學生參觀校園。大學淪落到搶學生、唯恐學生不來唸的地步，難怪學生「拿蹺」，視老師如超商店員。

教改的荒腔走板，加上甚囂塵上的「轉型正義」氛圍，都讓少不更事的青年學子，以極端卻又不夠成熟理性的思考看待國家以至歷史問題。這樣的學生熱衷政治，急切想實踐「社會正義」，可惜書唸的不多，歷史瞭解不深，又不承認自己膚淺無知，社會又給予莫名包容放任，都造就出目中無人的傲慢無禮態度來。

「台灣的大學生怎麼了？」或許得先問學生，唸大學的目的是什麼？快快樂樂玩四年？還是努力培養專長及學習做人處世道理，為將來做準備？

二〇一六年四月三十日「東方論壇」

肆、交通篇

機場何時搞定無人機？

◎蕭福松（作者為大學教師，台東市民）

桃園機場二十二日下午四時三十一分接獲民眾通報，在機場跑道 23L 方向二公里處發現無人機，航管單位立即通知航警局派員前往查看，證實確有遙控無人機活動。為維護飛航安全，立即通知塔台暫停起降共三十四分鐘，受影響航班十七架次，旅客一〇九七人。

桃機對這架遙控無人機後續有沒有進一步處置，不得而知，但發聲明表示，依據《民用航空法》規定，在劃定公告機場四周一定距離範圍內，從事遙控無人機飛航活動者，經查證屬實，將處三十萬元以上一百五十萬元以下罰鍰。

遙控無人機在機場上空「亂飛」，並非首例。民國一〇五年八月十五日晚，一架從香港飛回台中的華信班機，在準備降落清泉崗機場時，發現閃爍著耀眼 LED 燈的無人機闖入機場，為安全起見，在空中盤旋等待狀況解除。後因油料不足，轉飛高雄小港機場加油後，再飛回台中降落，延誤旅客行程超過兩個小時。事發當時，軍方負責的塔台、民航站和航警隊都互推責任，結論是沒找到無人機玩家。

飛航管制區內，不准有任何會影響飛安的障礙物，這是必須嚴格遵守的規範。然桃機和清泉崗機場的反應，給民眾的感覺，就是「奈何不了一架無人機」。

無人機進入飛航管制區影響飛安，情勢緊迫，理應可由航警直接開槍擊落，事後再追究玩家將其移送法辦。但顯然這種斷然處置，有一定程度的責任和風險，沒有人敢扛起責任斷然行動，於是通報來通報去，結果什麼事都沒做，等無人機自動消失，狀況就自然解除，倒楣的是旅客和航空公司！

兩起事件最荒謬之處，在沒有人敢碰觸那架無人機，因為擔心會被告、被索賠。但假使因為無人機的干擾，致發生空難，責任該由誰承擔？就算不發生意外，但行程受影響的旅客，難道就活該倒楣？

要數十架大飛機為一架遙控無人機「避讓」，這是甚麼邏輯？萬一遇到更嚴重的空襲、恐攻、爆炸或飛安事故，怎麼辦？

無人機亂飛現象時有所聞，不僅影響飛安、侵犯個人隱私，也危害公共安全，相關法令都足以將其繩之以法，危及飛安更是茲事體大，應當場予以擊落，但顯然機場有法卻不敢依。

「有法不依」和「無法可管」，其實都是官員推託之詞，心態上就是不敢作為。如果怕擊落無人機，惹來訴訟求償糾紛，就甚麼都不做，也算危機處理？

二〇二二年七月二十五日 自由時報《自由廣場》

科技執法，還是苛政執法？

◎蕭福松（作者為大學教師，台東市民）

繼「區間測速」後，政府再祭一執法利器「科技執法」。利用監視攝影機搭配AI車牌辨識系統，只要駕駛人在路口稍有違失，都無所遁形，罰單隨之而至。

問題是電眼監視下的違規者，很多是上街買菜的婆婆媽媽、搶時間的外送員，反應慢的長者或路況不熟的外地客。過去員警站路口執勤，尚會審酌現況，給予適切合理處置，現在科技執法則只要走錯車道、停錯邊、忘了打方向燈，被電眼鎖定，就等著收罰單。交通執法嚴苛到絲毫「不容有錯」的地步，已不是科技執法，而是「苛政」執法。

區間測速及科技執法，目的在藉由處罰達到嚇阻或提醒駕駛人遵守交通規範目的，實施以來，也確實達到減少車禍事故及降低傷亡率的效果。但避開易肇事熱點路段，因不當超速、違規迴轉、包括酒駕事件仍層出不窮，可見交通安全重點應不在違規的取締處罰，而在安全駕駛觀念的教育及灌輸。

行政院宣布，將增設一八八處路口科技執法設備，從七十七處增加到二六五處，經費共新台幣六億元，並立刻執行。也就是未來全國各地將設置更多科技執法點，駕駛人稍不留意或在陌生路段，就很容易收到罰單。

「科技執法」有裝設必要，但不能沒有一點彈性、人性，嚴苛到什麼都要照只有執法人員才懂的「交通違規處罰條例」，實無異把人民當肥鵝宰。

二〇二二年四月十四日　自由時報《自由廣場》

提升交通素養　拒絕「玩命」

蕭福松／台東大學教師（台東市）

聯合報「願景工程」深入全台體檢易肇事路段，前瞻觀點及堅持公路正義用心，令人感佩。

車禍發生，或許和道路規畫及路口設計不當有關，但更多時候是駕駛人疏忽、漫不經心，甚至是「玩命」所致，酒駕、超速、飆車、闖紅燈、突開車門……，無不如此。如果駕駛人稍有安全駕駛觀念，當不致拿自己和別人的性命開玩笑。

筆者一日晨運行至馬路口，見綠燈亮便走行人穿越線要過馬路。突然，一輛左轉未打方向燈的休旅車疾駛而來，嚇得我趕緊退後數步；開車年輕駕駛不但音響開得很大聲，還邊開車邊講手機。這種不安全駕駛、不禮讓行人的現象，隨處可見。

有一年到德國訪問，住鄉間民宿，清晨散步至河畔觀賞黑天鵝。回程經一路口，遠遠見一輛汽車駛來，一行人便放慢腳步，想讓車子先過，沒想到車子在距離我們約廿公尺處停下來，駕駛搖下車窗，比了個手勢，示意我們先行。

當地沒有紅綠燈，清晨幾無車輛，但駕駛遠遠就把車停下來禮讓行人，這種守法自律、「不需人提醒」的自覺精神，讓參訪的我們由衷佩服德國教育的成功。

反觀國內，不論汽機車駕駛，都是一逕地「急、趕、衝」，連行經市區巷弄及偏鄉村落，也不放慢速度，甚至大鳴喇叭，完全不顧居民安寧及安全，遑論禮讓行人或體恤行動緩慢的長者。

道路改善及違規取締固然很重要，但提升駕駛人的「交通素養」更重要。否則，人人會開車，卻不知如何安全駕駛，就像不定時炸彈滿街跑，不出事故也難。

二〇二二年一月六日 聯合報《民意論壇》

沉痾待根治……列車換新了　軌道安全待提升

蕭福松／台東大學教師（台東市）

台鐵事故不斷，和人力不足、設備老舊有關，但「沉痾」不想也無力根治，恐才是主因。以東部幹線為例，長久以來，用西部幹線淘汰下來老舊車廂，後山民眾自嘲是三等國民。現在有「最美列車」之稱的EMU3000新型自強號列車，明年將優先投入東部幹線營運，對後山民眾算是一種補償，然大家更關切的是，列車換新了，但承載列車的鐵軌安全性、穩定度，是否也隨之提升？

一位經常帶團旅遊的領隊說，他每次帶阿公、阿婆從台東搭火車到台北，不管是太魯閣號或普悠瑪號，只要列車一加速，車廂就搖晃得很厲害。轉彎時，車輪磨擦鐵軌發出的「吱！吱！」聲響尖銳刺耳，更教老人家受不了，車還沒到台北，很多人已暈得吐了。

另一位在台北進修的朋友，每週都需搭火車往返台北台東兩地，他說白天還好，但夜晚當火車以時速一三〇公里的高速行駛時，車廂劇烈搖晃，車輪磨擦鐵軌的尖銳聲，讓他坐得膽戰心驚，很怕普悠瑪事件重演。

友人質疑，開列車的司機員及負責巡視的列車長，都沒察覺列車劇烈搖晃問題嗎？還是有反映沒回應。列車會劇烈搖晃，一定和路基不平、鐵軌位移變形有關，太魯閣號行駛東部幹線多年，列車劇烈搖晃和鐵軌摩擦的噪音問題，始終未獲解決，是台鐵視而不見？無力改善？還是要等事故發生再來重視？

交通部長王國材說，東部幹線因受限曲率半徑不足，邊坡環境也不好，才購買太魯閣號等傾斜式列車，用車子來克服地形。問題是台鐵軌道屬窄軌，傾斜式列車過彎時，會產生強大的「橫向應力」，不僅乘客會有暈眩、不舒服感，對軌道也會造成極大的磨耗，輕則劇烈搖晃，重則可能導致列車出軌。

三年前普悠瑪事件發生時，就有軌道專家點出問題核心：「普悠瑪這個車子，在日本跑得好好的，為什麼來台灣會有問題？根本問題在我們軌道先天不好，養護能力也不足。」

鐵軌是火車安全行駛最重要的關鍵，花東位於歐亞板塊與菲律賓板塊交界處地震頻繁，鐵軌的安全性、穩定度，實不容輕忽。

二〇二一年十一月二十六日　聯合報《民意論壇》

南迴美和至北里路段測速桿設置　有問題

◎蕭福松（作者為國立台東大學教師）

自由時報報導「台九線美和至北里段六公里五支測速桿，民譏搶錢不治本」。身為在地台東人，又經常跑南迴公路，對縣警局「獨厚愛」此路段，特別有感。

太麻里鄉美和至北里路段依山傍海闢建，道路迂迴曲折，彎道多，景緻很美，是南迴公路最美的一段。惟中間的華源高架橋坡度很大，上坡必須重踩油門，下坡即使鬆油門，車速也輕易就能超過八十公里，警方在高架橋最高點設置測速桿。

問題是當車輛高速上坡，卻因顧忌「前有測速照相」，不得不急踩剎車，對駕駛人來說，究竟是確保安全？還是增加風險？

台東警方在短短六公里內裝設五支測速桿，間距之小，密度之大，彷彿專門整走此路的駕駛人，近乎搶錢的做法，也讓人質疑真能確保民眾行車安全？

南迴公路歷經十餘年的「龜速」改善，好不容易在去年底草埔隧道通車後，台東縣民才感受到行的便利，然旋踵間，就被不合理的速限、區間測速及密集測速桿澆熄熱情，很多駕駛人邊開邊罵，讓改善南迴公路的美意盡失。

政府花大錢截彎取直改善南迴公路，然後「為確保民眾行車安全」，再以種種限制，要求駕駛人在寬敞公路上「牛步」行駛，這是甚麼邏輯？

不否認，交通違規情況一直存在，根據台東縣警局資料，南迴公路台九線從今年初到八月底，共發生一三三件交通事故，死亡五人、受傷一百七十人，肇因都是超速、未注意車前狀態、彎道未減速、違規超車等違規行為。換句話說，肇事真正原因是駕駛人而非路況。

如今，只為嚇阻飆車族及少數違規駕駛，卻要多數守法駕駛人「集體受懲」，讓開車變成是件痛苦的事，果真為民眾行車安全著想？還是為了警方績效？

低速限、區間測速及測速照相，目的都是提醒駕駛人在危險路段小心駕駛，如果變成「三步一崗，五步一哨」，民眾尚有「行的便利」可言嗎？

台灣公路遍佈區間測速及測速照相，但交通事故有變少嗎？

如果答案是否定的，那只證明這樣的防治作為是無效的，關鍵應在駕駛人的「駕駛道德及安全意識」。

二〇二一年九月七日　自由時報《自由廣場》

南迴速限之三工處腦殘

◎蕭福松（作者為國立台東大學教師）

一位朋友為體驗「南迴改」，特地從台南開車到台東。他對「草埔隧道」縮短近半個鐘頭車程，且免除繞山路之苦，讚譽有加；但對雙向四線道的多良路段，速限僅五十公里，就一肚子火了。

他說，不想跟荷包過不去，遵照速限小心地開，可是跟在後頭的大車，不是猛閃燈就是狂按喇叭，嚇得他不知該堅持守法，還是「順應民意」跟著衝。

這位朋友很感慨：「公路進步了，但決定速限的人腦袋還是沒進步。」

他說，南迴公路很多路段都截彎取直、拓寬了，增加行車的便利性，速限理應適度放寬，這絕對合理也必要。長達六公里的多良路段，兩旁沒有住家也無岔路，速限卻訂五十公里，若非腦殘，就是幫政府搶錢。

負責制訂速限的第三區養護工程處則表示，他們是基於行車安全考量，現階段不宜調整速限，未來會視工程情形和車流狀況滾動檢討。

路他開，速限他訂，也是合理。然若無視日益提升的車輛性能和不斷增加的車流量，就只能說三工處不脫「謹小慎微」的保守心態，未能與時俱進地調整觀念及做法。

速限是為提醒駕駛人在危險路段小心駕駛，現彷彿成了「必要之惡」。

問題是，不合理的速限，讓駕駛人邊開邊罵，真能減少交通事故、降低車禍傷亡率嗎？抑或只是主事單位「依法行政」的SOP？

二〇二一年四月二十五日 自由時報《自由廣場》

一次違規兩張罰單之不當

◎蕭福松（作者為國立台東大學教師）

林姓男子今年四月開車行經台北市汀州路，因變換車道未打方向燈，遭後方車輛截圖，分別向大安分局及中正二分局檢舉。令他不解的是，兩張紅單的違規時間只差兩秒，換句話說，一次違規事實卻吃下兩張罰單。對此，警方的制式回應是，若民眾對申訴結果有異議，可提行政訴訟。

警方依法行政沒有錯，民眾不服行政機關處分，為自身權益提行政訴訟也沒錯，問題是為這種交通違規小事興訟，值得嗎？罰錢事小，這位民眾不惜耗費時間精神，提行政訴訟以為救濟，應是為爭一口氣。

假使承辦員警能站在申訴人立場，客觀判斷，應知就變換車道而言，兩秒鐘的秒差，絕對是同一件違規行為，不可能兩秒鐘內就從汀州路移動到建國高架道上，也就是其中一張罰單是無效的，可本於權責銷案，而不是：「該車輛二次違規行為係屬不同路段二次獨立違規行為，應分別舉發、處罰。」

「依法行政」是公務員執行公務鐵則，但並非鐵板一塊，除依法外，也必須兼顧情理，視事實情況，做適切合理的處置，而不是「你不服，可提訴願、行政訴訟」，增加繁複、勞心費神的訴訟過程，這不僅不負責任，更是擾民。

二〇二〇年七月二十日　自由時報《自由廣場》

大官飆車有感

◎蕭福松（作者為國立台東大學教師）

台東縣長日前偕同台東市長、卑南鄉長共同會勘新闢的太平溪路堤共構道路工程，被民眾拍到近二十輛車隊在速限四十公里的道路上，集體飆破一百公里。

經自由時報報導後，民眾紛紛表示速限四十公里實在太慢了，希望縣府適度放寬。建設處長則說「新開的道路，如果一開始就讓大家開快，很容易發生危險，未來再視實際行車安全狀況檢討調整。」

首長車隊為趕行程超速，典型的「只許州官放火，不許百姓點燈」；而建設處長的回應，不僅反映官員謹小慎微的保守心態，也凸顯現時「不合理速限」及「區間測速」最大謬誤思維所在。

政府單位一直把「不合理速限」及「區間測速」當作是減少交通事故、降低車禍傷亡率的萬靈丹。卻從不思考，不合時宜的交通法規，是否應隨日益發達的交通及性能不斷提升的車輛「與時俱進」檢討調整，而非把駕駛人都當「賊」看待。

開闢道路是興利，防範違規是防弊，基本上並行不悖。可是如果花大錢闢建寬敞筆直大馬路，再以測速照相器、區間測速等，限制車輛以不合理的低速行進，讓便利交通的美意大打折扣，算是德政嗎？

區間測速原為嚇阻飆車族，現反讓多數守法的駕駛人「集體受懲」，是保障民眾行的安全？還是搶人民荷包？

要減少交通事故、降低傷亡率，根本還是應從法律道德及生命教育著手，養成駕駛人尊重生命、守法負責的良好駕駛習慣，對蓄意超速違規因而肇事致傷亡者，加重處罰及刑責，相信民眾定無怨言。

否則，在現代化公路上卻要求牛步速度，豈不是強人所難，也太脫離現實？

二〇二〇年二月十四日　自由時報《自由廣場》

「區間測速」之腦殘速限

◎蕭福松（作者為國立台東大學教師）

南迴公路安朔到草埔隧道路段定十二月廿日通車，大大縮短台東至高雄間車程，對往來後山的開車民眾來說，不啻是天大好消息，但「區間測速」卻引發一波民怨。

經民代抗議，台東縣警局把原本規劃在新建隧道內實施的區間測速，改在壽卡至森永派出所間實施，這下換走舊南迴的縣民高興不起來！

這個區間測速路段，全長五．九公里，限速四十，行車時間不得超出八分五十一秒。比八分五十一秒少，即屬超速，將罰款一千二百元以上二千四百元以下，預定明年一月一日起實施。有議員質詢「速率每小時四十公里」，是否符合民眾需求及期待？引起很大的回響。

有人譏諷限速四十公里是個不食人間煙火、搶錢的冷氣房政策！有人建議叫提出此構想的人自己來開看看；更有人直接開罵，根本就是亂七八糟的政策。還有剛從高雄回來的民眾 PO 文說，他下午塞車回台東，從壽卡到森永共十三台車（兩台卡車，兩台遊覽車，其他自小客），這車隊夠慢了吧！上坡剩三十至四十，下坡不小心就五十至六十，如此龜速前進，只花八分鐘。如果照區間測速四十公里的規定，豈不人人都要吃罰單？

就現況來說，草埔隧道開通後，原南迴公路使用率勢必下降三至五成，既然車流量不多，有必要為防範少數飆車的人，而用區間測速來為難多數守法的人嗎？不但不會增加行車的順暢與安全，反製造因不耐龜速而超車的機率上升，這樣會更安全嗎？

區間測速制定不合理速限，讓開車變成痛苦的事，被批評是政府搶錢，甚至變相懲罰走舊路的人，將讓改善南迴公路的美意盡失，豈是德政？

二〇一九年十二月九日　自由時報《自由廣場》

路平……馬路敷「面膜」

蕭福松／台東大學教師

年度即將結束，地方政府又忙著消耗預算，馬路翻修就是最典型例子。不過，民眾比較好奇的是，重鋪的柏油路面有更平整紮實嗎？顯然沒有。草率施工的結果，道路不平整、標線不直，甚至出現雙黃線色差情形。

所有公共工程中，道路施工是最不具技術含量的初階工程。但很遺憾的，每年重刨重鋪的道路不知凡幾，卻仍難令老百姓有「路平」之感，原因究竟為何？

答案很簡單：一、偷工減料；二、回填不實；三、沒有加級配料。

去過日本的人都知道，日本道路相當平整，柏油厚度達十五公分，反觀台灣路面柏油厚度僅五到十公分。

兩相比較，前者有如厚實堅韌的「九層糕」，後者則像易掉芝麻的燒餅。除顯示工程品質有嚴重落差外，更凸顯政府在攸關「行」的問題上，重視與用心的程度俱不足。

台灣每年因道路坑洞、人孔蓋凸出，致摔傷死亡而要求國賠的事件層出不窮，顯示這幾十年來，政府和廠商都沒有進步。

理論上，政府標價合理、監工確實、驗收嚴格，自能要求廠商同步提升員工素質及技術能量。如果道路施工能重視路的平整性、堅實性、防滑性、透水性，自能避免很多意外事故的發生，也減少民怨。

道路是城市的門面，城市進步與否，道路是最直接、明顯的指標。平整、寬敞、整潔的道路，給人秩序、高品質的印象；反之，坑洞、破損、補丁的道路，則予人落後、沒效率之感。

不管「前瞻計畫」或「路平專案」，都希望能真正做到路平。否則，不斷的重刨重鋪，只是在消耗預算，替馬路更換「面膜」而已，並無意義。

二〇一九年十二月八日　聯合報《民意論壇》

多良傷心小站

◎蕭福松（作者為國立台東大學教師）

日昨陪台北友人重遊多良火車站，太平洋的美麗風景依舊，但車站旁破落攤架的凌亂景象，卻令人不忍卒睹。攤商早已撤走，留下的攤架，幾經風吹雨打早形同廢墟。不禁令人懷疑，這會是「全台最美的車站」嗎？

一個每天吸引很多遊客前往朝聖打卡的美麗景點，落到遊客看一眼，跟站牌拍個照就走的地步，地方政府不重視、部落無能為力實為主因。

相對的，市區路況及設施都尚稱完好的「馬亨亨大道」，卻正大肆翻修，因為「前瞻計畫」補助了一億六千萬元，可是除了安全島部分改善及路面重刨重鋪外，實看不出有多少實質效益。

中央給錢，地方花錢，天經地義，但希望錢是花在刀口上，能改善人民生活，能促進觀光發展。

多良火車站依山傍海，是一個非常漂亮的景點，地方政府只需花一、兩百萬元，好好整理攤販區及周邊環境，就可讓多良火車站改頭換面，不但能延續「全台最美車站」的美名，也能幫助部落居民創業就業。

捨此不為，是資源錯置，也對不起偏鄉原住民同胞。

二〇一九年十一月二十三日　自由時報《自由廣場》

靠補助救觀光　政府不用心

作者：蕭福松（台東市／國立台東大學教師）

去年花蓮地震之後，交通部觀光局針對國旅陸續推出五種補助方案。然旅遊業者未蒙其利先受其害，批評政府不斷撒錢的手段，不只目光短淺，也無法凸顯台灣特色，應盡速盤點觀光政策，愈在地化，才能愈國際化。

筆者甫從大陸旅遊回來，發覺大陸旅遊業發展蓬勃迅速，且不僅著眼發展觀光，間接也達到「開發」與「脫貧」的雙重效益，是極務實又具宏觀遠見的策略。

以往去北京都是登八達嶺長城，此次去則是登金山嶺長城，是新開發的路線。由山腳下搭纜車上山後，遊戚繼光戍守修葺的長城，長城向內的一段，裝上燈飾，夜晚從山腳下遠眺，宛如一條長龍，壯觀美麗。

山腳下的古北水鎮，則是仿古造鎮，裡頭有亭閣、染房、酒肆、客棧、鏢局、拱橋、流水、小舟……，古色古香，古意盎然，吸引很多歐美遊客遊覽。

深入雲川一帶，發現沿途都是「協助脫貧」標語，大陸的政策是高速公路開到哪裡，遊客就載到哪裡。

既帶動窮鄉僻壤的旅遊業，也提供年輕人從事導遊、駕駛或旅遊相關工作的機會，也藉此輔導收入低的農民轉型開餐館或民宿。既發展觀光，也幫助農民脫貧，更重要的，觀光發展的布局是全面性的，且是向下扎根。

反觀台灣空有好山好水，業者卻只能單打獨鬥、各搞各的，既缺乏整體規畫，更無策略可言。因為政府只會用「補助」解決問題，很難改善或提升觀光水平。

台灣有高聳玉山、浩瀚太平洋，山海景觀獨特，加上歷經西荷、明清、日本統治，人文多元，歷史豐富，如能好好規畫整合，觀光發展潛力無窮。對歐美人士來說，「福爾摩沙」仍是吸引人的地理名詞，關鍵是怎麼吸引他們前來。

不諱言，台灣目前的觀光，只限阿里山、日月潭、墾丁、太魯閣等幾個知名景點，其餘若不是零散，便是複製移植，無法凸顯台灣在地特色。

政府應著眼在既有景觀基礎上，融入閩南、客家、原住民等文化元素，呈現台灣特有的人文風情，而不是一味「靠補助救觀光」。

講更直白點，發展觀光應是想辦法賺外國遊客的錢，而不是自己人賺政府補助的錢，那是「不用心政府」的做法，難怪旅遊業者不領情。

二〇一九年五月二十七日《人間福報論壇》

只懂給錢　絕非好父母官

蕭福松／台東大學教師

觀光可以靠補助振興嗎？

或許短時間內，像加柴添火一樣，會有些刺激作用；但如果柴火燒完了，仍不見明顯起色，就可證明補助並非振興觀光良策。

荒謬的是，這個政府一直把補助當作施政萬靈丹，以為「拋磚引玉」就可活絡市場，以為給百姓「小確幸」，就是德政，完全忽略大方向若錯，再多努力也是枉然的。

小孩玩大富翁遊戲，賺的永遠是圈內人的錢；聰明有本事的生意人，則是想方設法賺外面、別人口袋裡的錢。世界各國都在搶陸客觀光財，唯獨台灣不屑；等發覺觀光一蹶不振，業者哀鴻遍野，再拿錢補貼。

可是觀光業者要的是細水長流、永續經營，而非給一杯水或短暫榮景。

觀光局去年推出的暖冬旅遊補助，很多旅宿業者到現在還領不到錢，花蓮更爆出至少有五成業者，都還沒拿到補助款影響周轉，明言「不想陪政府玩了」。

交通部此刻加碼推出春遊補助，大有「全民一起瘋旅遊」，能否救觀光不得而知，但炒短線拚選舉意圖，顯而易見。

另外，增加老農津貼、新車補助再加碼、國內旅遊補助，看到的都是政府大方撒錢，問題是撤的全是人民的納稅錢啊！

而一個只會補助、慷人民之慨，假裝給人民好康的政府，其實凸顯的是怠惰、無能。真正有能力的政府，應是能帶領人民向外發展，開創大格局政府，而不是施小惠、給補助。就像不負責任的父母，只懂得給錢，是教不出有出息的小孩。

二〇一九年三月二日 聯合報《民意論壇》

三億救台灣觀光　沙漠中的一口水

蕭福松／台東大學教師

陸客不來，大家都知道問題出在哪裡，偏有人視而不見，繼續悶著頭幹。結果苦了老百姓，也嚴重影響旅遊相關的交通、住宿、餐飲、特產等業者的生計。

行政院祭出三億元救觀光政策，但對奄奄一息的台灣觀光能有多少效益呢？且不說申請補助的手續繁複，連軍公教國旅卡也限制一半額度必須花在「重災區」，如此怎能引發旅遊熱情呢？何況這項措施只為時半年，之後是期待業者轉型，或任其自生自滅？

不是每個業者都有能力或有必要轉型，洗滌業、遊覽車、計程車、特產店、水果攤要怎麼轉型？政府這樣做，就像餵沙漠中快渴死的人一口水，然後說：「你死不了，你可走出沙漠了。」

政治是眾人之事，政府責任就是要照顧好百姓，讓人人有飯吃，大家有錢賺。「九二共識」無解，很多問題也跟著無解，不利效應一一浮現，值得執政者警惕，究以蒼生為念？還是繼續堅持己見？

二〇一六年十一月十四日　聯合報《民意論壇》

都市拚命蓋捷運　偏鄉老人烈日下候車

蕭福松／台東大學教師（台東市）

聯合報「行的正義」願景報導，引起很大回響，對地處偏遠交通不便的台東民眾來說，感受尤其深。

一回到東海岸國小演講，結束時近中午，回程太陽正炙熱，一路上幾無人車。在過了一處彎道後，瞥見兩位原住民老人家撐著傘蹲坐在站牌下，附近沒有候車亭或樹蔭。

當下只一個念頭，「太陽那麼大，他們要等到幾時？」忙倒車請他們上來，兩位老人家很意外也很驚喜，連連道謝。我問他們要去哪裡？他們說要到台東市區看醫生。我問等客運車多久了？老人家說，已等半個鐘頭了，正中午沒甚麼車子經過，他們只能耐心等。

這並非特例，而是偏鄉老人候車的常態，此次，若非聯合報發掘問題並深入報導，偏鄉老人「行的正義」將一直被漠視。

困惑的是，原本應是政府主動要解決的問題，為何都得等到媒體批露後，才被動回應，就不能主動為民在先、興利在前嗎？

在報導刊出後，交通部立即提出救偏鄉交通運輸「五支箭」，可見政府不是沒有錢，也不是不能做，而是根本不關心，寧可花錢辦活動，就是吝於給偏鄉一點關注。

都會地區捷運、公車、輕軌滿街跑，偏鄉地區老人家卻只能撐傘蹲坐在站牌下，等久久才一班的客運車，這公平嗎？

二〇一八年六月九日　聯合報《民意論壇》

只要高鐵南延　不准台26線貫通

◎蕭福松（作者為國立台東大學教師）

交通部日前審議高鐵南延屏東的可行性報告，一位與會學者主張直接把高鐵「左營站」改名為「高屏站」，引來屏東縣政府強烈不滿，認為發言學者「傲慢歧視」。

這位學者以票箱收入、運量不足等理由，質疑高鐵南延的可行性，和屏東縣政府希望藉高鐵南延，以帶動地方發展的期待完全相反，屏東縣政府因此「大動肝火」。

不過，回頭看「台灣環島公路網最後一段缺口」──台廿六線，台東縣南田到屏東縣旭海貫通工程。因屏東縣府依「文資法」，將觀音鼻及阿朗壹古道劃入自然文化保留區，導致工程拖了十二年仍無法興建，台東縣政府也是「滿腔怒火」。

屏東縣民對高鐵南延的期盼，一如台東縣民盼望台廿六線儘早貫通一樣。但很遺憾，由於前屏東縣長曹啟鴻的堅持，旭海至南田七公里路段被迫停工。更令人扼腕的是，公路總局已將徵收的土地及地上物歸還給民眾，等於宣告台廿六線永無「起死回生」的機會。

同樣都在爭取對外交通的便利，屏東縣政府只為學者一句「改名說」，就怒氣難消。將心比心，台東縣民眾難道不會因為台廿六線被「無疾而終」而憤怒嗎？

屏東旭海至台東南田一帶海邊，向有「台灣最後一塊淨土」美譽。當初公路單位在做規劃時，其實已避開阿朗壹古道敏感地帶，屏東縣政府的文化保護說，實難令人信服。

台灣幅員不大，縣與縣比鄰而居，休戚與共，理應攜手合作邁向共榮。台廿六線的重要性，不僅能連結環島公路網，提供民眾便利交通，更在它兼具帶動發展觀光、支援軍事防衛、替代台九線的功能價值。

因此，屏東縣政府在抗議學者「改名說」之餘，是否也請重新思考台廿六線貫通的可行性。

二〇一八年四月二十七日　自由時報《自由廣場》

前瞻拚輕軌　勿忘花蓮孤島

蕭福松／台東大學教師

端午節四天連假，到東部旅遊的民眾不少，卻碰到蘇花公路坍方中斷，進退不得，只好有路就走，造成中橫、南迴意外塞爆。

很多人嚇到說以後再不敢到花蓮來玩，對因陸客不來，而陷入寒冬的花蓮飯店及旅遊業者，實不啻雪上加霜。

一個落石坍方，造成到花蓮遊玩的人車四處逃竄，令人印象深刻也膽戰心驚。不但驗證了台灣脆弱的災難承受能力，更證實不論發生天災或戰爭，花蓮隨時都可能成為一座孤島。

都市民眾把花蓮當「後花園」，環保人士也把花蓮視為「台灣最後一塊淨土」，都希望保持花蓮原始自然風貌，不要有太多的人為建設，可是卻疏忽花蓮在地人最想要的，是一條可以安全回家的路。

即使這是花蓮人最卑微的要求，但政府仍以環評、生態等理由，遲延花蓮對外交通的改善，計畫一改再改、七折八扣，從蘇花高、蘇花替到蘇花改，花蓮人雖不滿不平，也只能無奈接受。

這回蘇花路斷，遊客急於逃離花蓮，車流塞爆中橫、南迴車潮像紅龍的奇景，應可喚醒政府注意了吧！

極具爭議的前瞻計畫，其中四千二千億元擬投資輕軌，亦即有大半要花在交通建設上。政府若真心關注東部民眾的權益，甚至有考量區域均衡發展及東部軍事防衛，只稍挪一些經費或給個關愛的眼神，花蓮就可免於蘇花路斷即成孤島的窘狀，問題是小英總統看到了嗎？

二〇一八年五月三十一日 聯合報《民意論壇》

拓寬改善十幾年　南迴速限40　我熱情都熄了

蕭福松／大學教師（台東市）

南迴公路拓寬改善工程拖拖拉拉十幾年，好不容易盼到金崙大橋開通，新松高架橋也通車，但歡欣的心情，隨即被令人傻眼的速限給澆熄了。

有人在臉書留言「騎腳踏車都可以飆到四十」；也有人貼出輪椅圖片，諷刺說：「這台應該可以飆到四十吧！」

金崙大橋速限五十公里，新松高架橋速限四十公里，公路單位說法是「為了安全考量」，安全固然沒有錯，但也必須考量公路的功能性和便捷性。

建造金崙大橋和新松高架橋目的，是為了截彎取直、縮短路程、節省時間、增加行車的便利性。

如今橋通車了，卻訂定不合理的速限，又按裝測速照相器，讓拓寬美意大打折扣，民眾原本期待的方便，變得更不方便。

在車流繁忙的公路上，速限確有必要，但必須視交通流量及安全狀況合理訂定。

如果只是依照「道路交通安全規則」依法行政，不僅無法讓公路發揮順暢交通的功能，也無法養成駕駛人守法及安全駕駛觀念，反只會招來搶錢及腦殘之譏。

二〇一八年三月二十四日　聯合報《民意論壇》

減法思維　別硬套在蘇花改

蕭福松／大學教師（台東市）

花蓮縣議會縣政總質詢第一天，很多議員就衝著賀陳旦的發言提出質詢，憂心新交長上台後，「蘇花改」會不會一改再改？毀了花蓮人亟盼「一條安全回家的路」的期待？

賀陳旦尚未就任，但對未來交通大業，顯已有腹案──「不必要的建設不用再做。」顯示他是想以「減法」思維，去除過多、浮誇、淪為蚊子館的建設。

立論正確，出發點也很好，但什麼樣的建設是不必要的？由誰來認定？是依地方實際需求？還是決策者個人認知？

「蘇花改」不僅是後山對外交通的命脈，更是環台公路極重要的一環。新政府若僅從選票多寡、經費預算、經濟效益角度考量，就顯得欠缺前瞻遠見了。

特別是，賀陳旦指「砂石車才是……元凶，應檢討的是東部水泥產業存廢」的說法，更顯偏頗。哪個縣市沒有砂石車？既知砂石車肇事率高，交通部就應設法做好道路規劃，及對砂石車有效管理，而不是把它跟建不建「蘇花改」扯在一起。

新政府表示要跟人民在一起，既是如此，就更應體恤後山民眾交通不便之苦，而不是三言兩語就否定後山民眾的迫切期待，更不能自以為是的，輕易抹殺東部發展的契機。

二〇一六年五月八日　聯合報《民意論壇》

被遺忘的棄民　靜待南橫復通

蕭福松／大學教師（台東市）

莫拉克颱風前，每年暑假全家必定走一趟南橫公路，莫拉克颱風之後，因南橫路斷而中止。

昨趁天氣放晴，特地跑了趟利稻，探訪經營特產店的陳大姐。老朋友見面分外高興，但陳大姐說，她已三年沒做生意了，這幾年都吃老本，對未來的生活，是過天算一天，心情瞬間冷卻。

南橫路斷，受影響最大的是大關山隧道兩頭的偏遠村落。觀光客進不去，農產品出不來，村民坐困愁城，也未見政府伸援手。村民自嘲只能「自求多福」，但實際情況，則更像是「自生自滅」。

春節將屆，南迴公路勢必又要塞車，如有南橫公路，必能發揮紓解功能。而今南橫大關山隧道兩端居民，生活生計都面臨困境，宛如被遺忘的「棄民」。

政府除應給予更多的照顧外，對南橫公路也應從交通、觀光及國防思考，設法儘快搶救復通。

二〇一三年一月二十七日　聯合報《民意論壇》

花東高鐵　美麗的夢想？

◎蕭福松

交通部長吳宏謀接受媒體專訪，一番「高鐵南延屏東，一定不只考量屏東，還要考量花東，才有意義。」的說詞，不僅讓花東民眾耳朵為之一豎，也讓宜蘭代理縣長陳金德氣得跳腳，不滿高鐵獨漏宜蘭，直嗆「是要宜蘭宣布獨立嗎」？

宜蘭當然不會因為高鐵略過就宣布獨立，不過交通部長為花東發聲，聽在花東鄉親耳裡倒很窩心。這是中央部會首長首次有人主動提及花東，不管是真心誠意還是隨口說說，對長期被中央漠視的花東民眾來說，頗有受寵若驚之感。

台灣幅員不大，認真建設並非難事，如果早期政府有遠見，花東應不只是現在的樣貌而已，單憑壯麗海岸山脈及浩瀚太平洋自然風光，早就發展出足以媲美夏威夷的觀光勝地。

可惜重西輕東政策，加上選票太少的政治考量，讓花東至今仍處於「半開發」狀態。交通部長的「宏觀遠謀」，帶給花東民眾一個從不敢奢望的「高鐵夢」，是顯得遙遠，卻也讓人充滿期待。

台灣專家學者不少，「學而優則仕」的更不乏其人，可惜這些俊彥之士，一旦進入政府部門之後，不是被功名利祿薰昏頭，便是被官僚體系給制約了，不但沒能擘劃出國家長遠的發展藍圖，反讓台灣陷於方向偏誤的泥淖中。

馬政府時代推動的「新國土規劃」，原著眼北中南的區域均衡發展，立意甚佳，卻因規畫粗疏，一下子綁出六都來。小小台灣塞了六個直轄市，這在全世界是絕無僅有，且不說陡增多少公務人員及預算，失衡的財政劃分，不但讓六都資源愈形集中，也更拉大與B咖縣市的城鄉差距，交通建設尤然。

現在新任交通部長好不容易為花東講了句公道話，能否美夢成真，就看政府眼中的台灣，是一個整體的台灣？或只是半個台灣？

很多事情非不能為也，而是不想為、不願為。後山花東長期以來被忽視，造成交通不便、人口外流、工商不振都是事實，然有遠見、具宏觀視野的執政者，應是設法扭轉其劣勢、改變其局面。交通不便，就應設法讓它變得方便，交通便利了，人口自然流動增加，工商企業也會隨之發展，各種產業都將因此全面帶動。

交通部長的花東高鐵說，不管是為高鐵南延屏東說項，還是為未來的環島高鐵預作鋪陳，都是令人期待的，接下來就看中央是否有決心和魄力。經費應不是問題，離岸風電都可以做了，兼具東西均衡、便利交通、發展觀光與防衛東部的環島高鐵，是不是更值得投資？

不過，看看牛步化的南迴公路改善工程、未連貫的台26線環島公路網，以及至今仍「一票難求」的台鐵東幹線，是否先解決眼前這些迫切問題較實在？

二〇一八年八月四日「東方論壇」

馬路需要五花八門的點綴嗎？

◎蕭福松

整頓美化市容，首先聯想到的，應是橫七豎八的廣告招牌，及隨處張掛的布條旗幟，很少人會想到處處可見的交通警示號誌，原來也是視覺汙染源。設置交通警示號誌，當然有必要，但一定得設置嗎？非設不可嗎？

新北市政府最近完成交通設施的「瘦身計畫」，將佔用路面、會影響駕駛人視線及繁複的號誌一起整併，共改善近三千面標誌，減少四〇二支號誌桿。

新北市政府整頓交通號誌的作為堪稱創舉，將不必要、沒意義的警示號誌整併，不但達到淨化市容、減輕用路人視覺壓力的效果，也給交通單位及其他縣市提供借鏡，不要凡事墨守成規、依樣畫葫蘆。

設置交通警示號誌目的，在提醒用路人注意路況、遵守安全事項，但如果多到如同號誌展示場，更像把用路人當小學生般看待，處處叮嚀、時時提醒，甚至一條不到五〇公尺長的安全島，就豎了五、六面警示號誌，到底是善意提醒還是整人？

警示號誌多且雜，不但易造成駕駛人分心，其實也破壞市容美觀。交通單位基於職責，不僅在市區街道豎立交通警示號誌，在公路彎道及易肇事路段，更盡其所能的豎立多種警告標誌、加設防撞桿，岔路安全島更固定橘色防撞筒，堪稱奇觀。

交通警示標誌多、防撞桿多、測速照相桿多，是台灣公路最大特色。但有讓駕駛人更守法、更安全駕駛並減少交通事故發生嗎？並不盡然。

新北市政府改善近三千面標誌，減少四〇二支號誌桿，表示這些被拆、被整併簡化的交通號誌，其實是多餘、沒必要的。

各種「小心行人」、「當心兒童」、「行人優先」、「前有幹道」、「越線受罰」標誌琳朗滿目，令人目不暇及。即連偏僻道路也照樣豎立「限速四〇」、「載重限制」，不曉得給誰看？會有人遵守嗎？

理論上，道路設計良好，民眾也遵守交通規則，很多警示標誌是可以不用設置的；但如果道路設計不良，民眾也不遵守交通規則，則設置再多的警示標誌也只是裝飾而已，並無助交通事故的改善。

蘇花公路、東海岸公路及南迴公路都依山傍海闢建，沿途風景都很漂亮，美中不足的是交通警示標誌多、測速照相桿多，尤其在彎道加裝防撞桿，導致路面及駕駛人視覺空間緊縮，讓駕駛人開起車來戰戰兢兢，也開得彆扭不順心。

公路單位或許認為設置警示標誌，是SOP標準作業程序，但是否破壞景觀、影響駕駛人視線？則在所不問。道路拓寬改善，是為增加行車便利性，現反而以「安全」為由，到處裝設測速照相桿，形同搶錢，更像是變相「限速」。民眾原本期待的交通順暢，反而變得更不順暢，這豈是改善道路本意？

二〇一八年五月二十六日「東方論壇」

交通違規是政府龐大的商機？

◎蕭福松

台九線賓朗到初鹿、武陵到關山路段，最近發現有人故意在車道上慢速行駛，等後車越過雙黃線超車後再截圖檢舉。由於從台東市開車到縱谷鄉鎮上班上課的公教人員不少，都成了獵捕的目標，有人一個月內連收三張罰單，氣得牙癢癢的。

駕駛人在路上遇到時速僅三〇、四〇公里的龜速車，怎麼辦？要超怕被檢舉，不超後面又猛叭催逼，懷疑是檢舉人故意慢速開車，製造陷阱讓越雙黃線超車的人違規，再檢舉領取獎金。檢舉達人變成檢舉魔人，成了全民公敵，檢舉的正當性也受到質疑。

自稱檢舉人的張姓民眾不堪被抹黑，向媒體自承確實已檢舉上百件。但表示明明限速五〇公里，很多人卻違規開快車，他是為大眾行車安全才檢舉。對於被批評是「檢舉魔人」，他說這是對檢舉者的污名化，不能因為自己違規，就把過錯推給別人。

是不是民眾搶快越線超車？還是有人故意慢速製造違規？非當事人實難以判定，不過，此事件凸顯檢舉的合法性及限速的合理性。

檢舉人在駕駛人毫無警覺情況下，憑行車紀錄器就「逕行舉發」，手段合法嗎？如果違規屬實自無話可說，但假使是檢舉人故意慢速，讓趕時間的駕駛人不得不越線超車，形同製造陷阱讓人違規，其動機和心態就很可議，如警方再發給獎金，不更鼓勵不當的檢舉劣行。

不諱言，台灣社會確存在很多狗屁倒灶、違規不法情事，需要有道德勇氣的人敢於挺身而出，充當政府耳目，讓見不得陽光的事曝光。可是如果是惡意檢舉，故意陷人於違規，或者把檢舉當職業，把檢舉獎金當另類收入時，就不可取了。

再者，是公路限速的合理性，花東公路部分路段筆直寬敞，肇事率也高，有「死亡公路」之稱。因此，沿線不但廣設測速照相器，限速也都定在五〇、六〇公里以內，讓駕駛人開車十分痛苦。安全駕駛固然很重要，但道路寬敞筆直，適度提高行車速度是必要的，否則道路拓寬了，路變好開了，卻普設測速照相器又限速，豈不是尋老百姓開心？

台灣很多道路拓寬改善了，但政府卻吝於給老百姓順暢的通行，口口聲聲為了行車安全，但速度慢一定安全嗎？像「玉長隧道」限速四〇公里合理嗎？在密閉空間，是否更應快速通過才是安全。

合理速限，駕駛人較不易違規，相反的，不合理速限，反易製造違規。訂定速限的人，如果不調整思維，只會援例辦理，就難怪人民不守法了。

最可議的是，各路段都廣設測速照相器，形同搶錢，各縣市的交通違規罰款收入，動輒上億元以上，擺明就是看準交通違規是龐大的「歲入商機」。

只是藉由交通違規，把人民當提款機的做法好嗎？

二〇一七年十二月二日「東方論壇」

給一條安全好走的路有那麼難嗎？

◎蕭福松

好些縣市標榜是「觀光大縣」、「美麗之都」、「智慧城市」，好像居住在當地的民眾是最幸福的，其實在美麗口號和精美包裝底下，多的是見不得陽光的殘破建設，道路就是其一。

道路是最基本的公共設施，也是地方發展很重要的基礎。遺憾的是，全台從北到南、從西到東，鮮少看到路面平整、標線筆直的道路，反都是凹陷不平、補丁隨處可見的爛路。究竟是施工品質低劣、技術差？還是官員不用心、驗收馬虎？

屏東市往內埔鄉屏科大的大學路，因受颱風侵襲，加上砂石車輾壓，造成路面凹陷不平、坑洞處處，導致機車摔傷事件頻傳。

最近有民眾發現路中央多了一面告示牌——「本路凹陷不平，請減速慢行」，讓民眾啼笑皆非。是否掛了警示公告，大學爛路就不必修了？還是縣府已盡告知責任，民重摔倒自負其責？

新聞見報後，屏東縣政府趕緊澄清，說民眾誤會了，縣府已編列一億多元經費，計劃重鋪此路，未施工前先掛此牌，提醒用路人注意安全。

屏東縣政府或許出於一番好意，但為何不在民眾反映當下就即予處理，非得等到有人摔傷了，民眾幹譙了，媒體披露了，才說「其實我們早就準備做了」。

老實說，除選舉投票及納稅、繳罰款外，民眾很少會和政府機關打交道，道路是最直接的連結。也是見證地方首長施政思維，以及是否關注民眾福祉最明顯具體的指標。

可惜人多數縣市長，都喜歡立竿見影，能增加能見度、知名度的施政，寧花大錢舉辦活動，反而和民眾行的便利及安全最相關的道路常被忽視。若再加上設計不良、施工粗糙、重車輾壓、管線挖掘，道路豈會完好？

台灣柏油路面只有五公分厚，扣除級配，實際不到三公分，假使包商再偷工減料，施作工人也隨便施工，這樣的道路會有品質可言嗎？不爛才怪。

每一縣市都在推「路平專案」，可笑的是，看到的依然是高低不平的路面，及像波浪起伏的標線。很讓人質疑，台灣的公共工程品質和道路施作技術，就只有這樣的水準？

給老百姓一條安全好走的路，其實一點都不難，難就難在地方首長並不把民眾「行的安全與便利」視為優先項目。施政順序中，與民眾居住環境、生活品質最相關的道路、排水溝、照明等，常仰賴上級補助，反而做秀、辦活動、搞國際化的支出，大方揮霍。本末倒置結果，老百姓就只能忍受殘破脆弱、凹陷不平的道路了。

政府也不缺錢，只是錢都花到「永遠辦不完的活動」和「宣傳、行銷、包裝」去了。當縣市長仰望天邊，嚮往編織如彩虹般絢麗願景時，可想到老百姓的機車，正危危顫顫地騎在凹陷不平的爛路上？

二〇一七年五月二十四日「東方論壇」

癥結不解　觀光無解

◎蕭福松

行政院政務委員張景森在臉書上PO文，說陸客是我們最需交的朋友，要網友別再發表「沒有陸客的台灣，連空氣都變乾淨」的話。

張景森的PO文，隨即遭行政院否認，認為是他個人意見，非政府正式政策。不過，以張景森身為督導交通觀光的政委身份，眼看觀光業者九月十二日就要走上街頭，再不有所回應，恐怕有虧職守，只不過他的主張，行政院並不買帳。

台灣觀光業自五二〇新政府上台以後，便步入寒冬，原來靠陸客而蓬勃發展的旅遊、飯店、餐飲、運輸、藝品、糕餅、特產、夜市，就像「明天過後」般，瞬間急速冷凍。

過去門庭若市的熱鬧景象，轉眼變成門可羅雀，好些珊瑚館、藝品店，偌大的大廳空蕩蕩的，等不到客人上門。日月潭著名的阿婆茶葉蛋，過去一天可以賣掉八千顆，現在只能賣數百顆，相差何止千里。

陸客向來最喜歡到訪的花東兩縣，衝擊尤其大，有幾家飯店已關門，更多的遊覽車則急欲脫手，政府再不調整兩岸政策，觀光業就只能等著全面崩盤。

張景森的言論，或許不代表政府政策，但他講的是實話。換言之，新政府寧可放棄可帶來二兆億元的陸客商機不顧，卻另花資金去開發東南亞及穆斯林客源，豈非捨近求遠、放大取小？就因為不願面對對岸？

台灣現時最大的難題，在如果承認「九二共識」，怕被中共牽著鼻子走，失去台灣的主體性及欲獨立建國的目標；而假使不承認「九二共識」，中共又勢必會加大政治及經濟的緊縮力道，讓台灣陷入孤立困境。

雖然新政府提出「新南向政策」，但中共早在一九九七年即參與「東協十加三」的區域經濟整合，並儼然是東協老大，台灣想要尋找突破口是很困難的。相對的，中共要阻撓台灣則易如反掌，如此明顯又嚴竣的態勢，新政府卻仍執意推動。

國際政治是講求現實實力的，當東協籌組區域經濟整合之時，台灣是被排拒在外，而當G20在大陸杭州隆重登場時，近在咫尺的台灣同樣是被視而不見。

台灣若不能看清國際勢力角力的事實，也忽略「事大以智」的靈活運用，則不惟在國際空間及經濟突破上，會頻遭中共的打壓封阻，即連底層人民賴以生存的觀光旅遊及農漁產業，也都將遭波及。

如何面對？端視國家領導人是以蒼生為念？還是以意識形態為重？是繼續堅持她的政治主張？還是以人民的生計生存為優先考量？

更大的關鍵，新政府要堅持它的政治主張，繼續維持「一邊一國」現狀？還是保持彈性，既拚國內經濟起色，也維持兩岸和平穩定發展？

二〇一六年九月七日「東方論壇」

伍、社會篇

遊客「耍流氓」　不尊重蘭嶼人

蕭福松／台東大學教師（台東市）

孤懸太平洋上的蘭嶼，一向平靜無事；十月八日晚間當地年輕人和外來遊客發生衝突事件，令人意外。

了解事件始末後，發現並非蘭嶼人欺負外來客，而是遊客與當地民眾間行車糾紛，亮刀恐嚇之餘，還巴人頭部；之後又疑似吸毒一路叫囂鬧事，引來蘭嶼年輕人不滿，認為遊客「欺人太甚」，才到他們用餐的燒烤店理論，引爆衝突。

以筆者和達悟族朋友長年交往經驗，蘭嶼人並非逞強好鬥的戰鬥民族，反而是樂觀友善、愛好和平的海洋民族。

有一年和東大幾位老師到蘭嶼考核，有人提議晚上去游泳，體驗蘭嶼海泳滋味。我打電話給當地好友周義忠，他說：「蕭大哥，別去游泳了，跟我出海去抓飛魚吧！」大夥兒樂歪了，是夜航呢！

那一晚，搭他剛整修完成的遊艇出海，從外海欣賞蘭嶼夜景，也看到成群飛魚掉落甲板景象。大夥兒驚喜極了，還問我：「怎會有蘭嶼親戚？」

周義忠是土生土長的蘭嶼人，他曾說一直在思考，如何促進蘭嶼觀光，並在兼顧族人尊嚴及生態保育下，永續發展蘭嶼。他們經營旅宿、超市、潛水，做得有聲有色，但始終堅持蘭嶼海洋生態不能破壞，達悟族人的傳統習俗，更要好好保存傳承。

大部分遊客都會遵照要求，在不破壞生態、不打擾居民生活原則下，盡情享受綺麗的海上時光。但仍有極少數年輕人喝酒喧嘩、機車橫衝直撞，把在都市玩的那一套，搬到蘭嶼來，讓經營觀光產業的族人飽受鄉親責難，責怪他們為要賺錢，把外面不好的習氣帶進蘭嶼。

他感慨，蘭嶼不可能不對外開放，但開放必然帶來文明衝突，特別少數遊客不健康心態和脫序行為。仍有人抱持「花錢是大爺」心理，想怎樣就怎樣，並以一種「上國」優越感，輕蔑或嘲弄「化外之民」的蘭嶼人，讓遊客和島民關係緊張。但其實蘭嶼人是和善好客的，在意的是「尊重」和「理解」。

此次衝突事件，很單純就是遊客「耍流氓」，不尊重蘭嶼人所致。

二〇二二年十月十四日 聯合報《民意論壇》

科技之都　竟藏水溝蓋陷阱

蕭福松／台東大學教師（台東市）

新竹市一名女學生下課行經北大路，踩到水溝蓋破洞，被鏽蝕鐵條戳傷，不僅家長心疼，旁人看了也怵目驚心。

新竹市是進步城市，前陣子還喧騰著要合併升格院轄市。一個自詡「科技之都」、「美麗城市」的新竹市，沒想到也難掩存在鏽蝕多年水溝蓋窘狀，似乎也應證，施政切莫「金玉其外，敗絮其中」。

公共設施暗藏危機陷阱現象，普遍存在每個都市和鄉鎮，只是司空見慣、習以為常，久而久之，造成台灣空有選舉之名，卻無法實現「有效治理」理想。

講更白點，政府投資在地方建設的經費何止千萬億，但為何至今仍無像樣或可長久安全使用的公共設施？

「路平專案」翻修多少遍，路還是不平，標線還是波浪形的；已完成公共設施或基礎工程，風光剪綵啟用後，再無人聞問，遑論定期檢修維護。

一個水溝蓋，小女生一踩就破，鐵條像樹枝般斷裂，可見鏽蝕問題已久，但有人反映、有人重視嗎？都得等到百姓跌破頭、摔斷腿，訴諸媒體、要申請國賠，再找理由來推脫搪塞，為何不在意外發生前預作防範？

道理很簡單，政府首長都喜歡做表面看得到的繁華政績，搞重大建設、辦大型活動、放煙火、弄歌舞秀，炫耀政績之餘，也增加媒體曝光度。

至於與民眾生活攸關的水溝、路燈、垃圾，按慣例做，既不上心也不在意。因此，即使台灣號稱進入開發國家，但基礎建設並不先進也不完備，基層鄉鎮市尤其如此。換句話說，施政只講天馬行空，不重視基本功。

年底九合一選舉轉眼到，不管是選首長或民代，也不論是挑戰者或連任者，希望都能真正以民眾福祉為依歸，多用心落實，少作秀演戲。

二〇二二年三月十九日 聯合報《民意論壇》

當兵不磨練　如何打仗？

蕭福松／台東大學教師（台東市）

金防部傳出役男遭不當管教事件，事後役男打電話申訴，結果九名幹部全遭行政處分，並函送偵辦。

洪仲秋事件後，軍中的「威武精神」盡失，一位在部隊擔任主官的好友無奈說：「既然要民粹，大家就和稀泥吧！」我問：「桀傲不馴、不服管教的士兵怎麼辦？」他苦笑：「能怎麼辦？只要不出事，等他退伍後，問題丟給社會就是。」

面對少子化及越來越多的媽寶爸寶，軍中基層愈來愈難管訓，只要役男不出狀況就好。問題是軍營是訓練打仗之地，不是遊樂場也不是戰鬥營，是隨時要上戰場拼命的。如果沒有透過嚴格的訓練，鍛鍊士兵強健體能、堅強意志、服從性及合群性，如何在戰場克敵致勝、爭取存活。

一通申訴電話，電垮一票中堅幹部，金防部典型的「小題大作」。試問，還有人敢嚴管嚴訓嗎？而不經嚴訓的士兵上得了戰場嗎？網路一則「台灣年輕人願打仗，但不當兵」的訊息，讓人哭笑不得。

台海局勢緊張，沒人敢保證短期內不會有事，不堪班長「羞辱」就申訴，軍方高層也煞有介事究辦，台灣還能拿甚麼對抗解放軍？

二〇二一年十一月二十一日　聯合報《民意論壇》

小海豹造訪的另類思考

◎蕭福松（作者是大學教師）

小海豹誤闖新北市瑞芳鼻頭漁港，媒體報導後引起轟動。民眾驚艷之餘，也赫然發現小海豹棲息的塑膠板週遭水域，竟汙濁髒亂不堪，充斥著保麗龍、垃圾、飲料盒、各種雜物。

不該出現在亞熱帶的小海豹，意外現身，帶給現場目睹的遊客和居民很大的驚喜。可是攝影機帶到小海豹棲身的週遭水域，卻宛如置身在像臭水溝的髒池裡，難怪小海豹要急著離開。

可愛小海豹和污濁髒水，形成強烈對比。不禁疑問，一個漁船每天要進出作業的漁港，為何如此髒亂？甚至連最起碼的清淤也沒有。

鼻頭漁港不可能沒有主管單位，遠的農委會、新北市政府不說，近的有區公所、漁會、海巡、里長，難道都沒有人「感覺」漁港的髒亂？顯然是有權責的不管，沒權責的也想「省事」。可惜了，一個漂亮的小漁港。

鼻頭漁港因小海豹誤闖登上媒體版面，很可能成為新的觀光景點，但首先，請漁管單位先整理好漁港周邊環境，特別是水面髒汙的清理。弄乾淨一點，不只遊客會喜歡來，說不定小海豹還會找夥伴一起再來造訪呢！

二〇二一年十月二十七日 自由時報《自由廣場》

為農除害重要？還是動保人士重要？

◎蕭福松（作者為國立台東大學教師）

穀賤傷農，猴多同樣傷農，台東縣東河鄉泰源和北源兩村是主要的柑橘產地，長久以來，一直飽受野猴騷擾之害。

一位國小校長帶我訪問當地果農，果農一提到猴子就咬牙切齒，氣憤地說，這些潑猴都是在柑橘快成熟時，先果農一步採收了。

他說，猴子若真喜歡吃水果，讓牠們盡情吃也就罷了，偏偏這些潑猴都是咬一口，感覺不對味就丟掉，再咬下一顆，就這樣整個果園幾乎被糟蹋掉，讓果農欲哭無淚。

獼猴繁殖很快，也開始入侵人類居住的地方，除會搶登山客食物外，也侵入民宅或學生宿舍找吃的東西，又以侵擾果園破害農作危害最大。

農民雖以放鞭炮、吊死猴娃娃警告，但效果不大。使用電網，雖能阻絕猴子進入果園，但也只是把猴子隔離在電網之外，沒有電網的地方，照常受到侵擾。

辛苦栽種的水果，既要防範宵小偷竊，也要防範潑猴偷襲，可說是農民最痛苦之處，但因為獼猴是保育類動物，只能乾瞪眼生悶氣。

屏東縣滿州鄉成立驅猴大隊，雖可提槍上陣，但只能驅離不能射殺，嚇阻效果有限。

農委會主委林聰賢提出把獼猴送離島野放的構想，不管是創意，還是一時的失慮心直口快，都不是好辦法。

政府最難為之處，不是把獼猴從動物保育類名單除名，而是如何面對動保人士的質疑和反彈。不過，林聰賢主委應如同他對北農總經理吳音寧的支持一樣——「做對的事情」。

面對日益增多的流浪狗及無限繁殖的獼猴，政府實不能再以「動保」為藉口迴避問題，必須要有理性、客觀、果斷的處置。

如果因為擔心動保人士反對，而什麼都不做或不敢做，致果農忍無可忍，最後採取更激烈、更不人道的方式對付猴害時，恐不是政府和動保人士所樂見。

如果政府無法控制獼猴的繁殖增長，也沒有更好方法可以保障農民的權益時，將獼猴從動保名單中除名，並允許適當捕獵，應是最後不得不的選擇。

二〇一八年五月二十三日 自由時報《自由廣場》

隨手行善　台灣會更美

蕭福松（台東縣／台東大學教師）

周日騎自行車到海邊，遊客不多，騎起來格外舒暢自在。但才騎沒多遠，車子鍊條脫落了，只好停靠路邊，試著把鍊條撥回齒輪，但一轉動就脫落。

就在我低頭調整的時候，一位年輕遊客靠過來說：「需要幫忙嗎？」只見他俐落地把自行車倒過來，一看就知道是個行家，但或許老爺車夠老了，試轉幾圈還是脫鍊。只見他額頭冒汗，兩手沾滿油汙，同行一位中年男子說「我來」，三兩下搞定了。看他們兩位雙手沾滿油汙，心裡很過意不去，連忙稱謝，他們只是笑著說：「沒關係，洗洗就好。」說罷，揮手離去。

看著這群遊客主動熱心助人，心裡滿是感動，果真印證「台灣最美的風景是人」這句話。心裡也不禁困惑，為何每天仍有那麼多無理取鬧、蓄意挑釁、暴力相向的事件發生？

其實，人本性都是善良的，也樂於助人，只不過，常因欠缺思慮，無法克制自己的情緒、意念、慾望和衝動，而做出違背良心、道德、法律的事。

多一分清明冷靜，懷著慈悲、謙卑、包容、體諒之心，台灣社會會變得更美。

二〇一六年十月十五日《人間福報論壇》

臨財不苟　人性美德

蕭福松（台東市／大學教師）

桃園榮服處社區志願服務組長王玟舜，整理過逝老榮民遺物時，在屋內牆角，發現老榮民遺留七個裝著千元大鈔的包裝袋，共二百二十四萬四千元。王玟舜堅持「不是自己的東西不能拿」，因這樣的道德認知，臨財不苟，廉潔精神令人感佩。

現代人把錢看得很重，有錢希望更有錢，沒錢則想辦法攢錢。循正途賺錢的無話可說，等而下之的就偷拐搶騙，無所不用其極，目的無非就是「追錢」。

王玟舜不貪不義之財，不僅是心中無貪念，更是心存正念、善念，而這正是滾滾紅塵、慌亂世道中亟需的道德修養。

面對權勢財色的誘惑，很多人是抱持不拿白不拿心理，未能理解「舉頭三尺有神明」，更無法透澈「不自慚內心」的自我修行。貪念的結果就是道德淪喪、社會失序。

王玟舜臨財不苟，給紛擾社會注入一股「重見人性美德」的清流，值得我們敬佩，值得學習。

二〇一六年二月十七日《人間福報論壇》

掛網世界之最　如果手機沒了……

蕭福松／台東大學教師

市調機構調查，台灣民眾掛網時間高居世界第一。

看到這新聞，讓人笑不出來，畢竟這個「世界第一」非台灣之光，而是反映國人依賴手機的偏差現象。

智慧型手機多功能特性，使它成為現代人生活及工作中不可或缺的好幫手，但也養成「須臾不能離身」的依賴性，衍生很多心因性疾病來。

有學生上課未必準時，可是走到哪裡就打卡到哪，不知跟誰報到？在餐廳用餐，不是跟同桌的人寒暄聊天，而是菜一上桌就搶著拍照然後上傳，不知是炫耀，還是幫餐廳打廣告？

網路笑話、趣味短片或親友動態 Line 來 Line 去，分享歡樂、增進情誼，可是目的是什麼？為何這麼做？沒有人能說出個所以然來。

最嚴重的是，當手機沒響，訊息未出現時，孤獨感、猜疑心頓起，懷疑是不是被遺忘、被孤立了，隨時緊盯著手機，搞得整天神經兮兮的。

候車、搭車就算無聊，想打發時間，也有很多種方式，看報紙、看書、找人聊天、欣賞周遭風景皆可。但很多人卻捨此不由，寧可低頭滑手機，把人際、風景和世界都摒除在外。

手機是很方便的通訊機具，但它應該是被人拿來使用，而不應該變成是人去依賴它。更可怕的是，一旦沒了手機，就彷彿失去自我、失去世界，焦慮、躁鬱情緒跟著出現，都是過度依賴手機產生的結果。

「役物而不役於物」，這才是現代文明人應具備的健康心態。

二〇一四年八月十五日　聯合報《民意論壇》

伯朗大道　慢遊變災難

蕭福松／臺東大學教師

金城武的廣告片造就了「伯朗大道」，但池上的田野風光，也因盛名之累，而飽受摧殘。遊客為一睹金城武「奉茶」的大樹，汽機車隨便停放，影響農民出入，為了拍照任意踩踏稻田，田埂路面充斥垃圾，令農民十分惱火，有人揚言要把那棵「惹禍」的大樹砍掉，以絕後患。

在「大樹風波」中，最令人激賞的，是長榮航空董事長張國煒的負責任態度。他除向農民致歉，贊助十輛觀光巴士，每個月認購兩萬五千公斤池上米，幫農民促銷，甚至考慮再請金城武在原樹下拍攝撿垃圾的廣告。

張國煒考量的是國人喜歡模仿藝人的心理，或許能起導正效果。不過國人也得反思，為何放鬆心情的旅遊，一定要搞到一窩蜂？

只要抱著愉快、健康的心情旅遊，台灣到處是美景。但諷刺的是，景點只要一曝光，再經網路瘋傳，遊客就蜂擁而至，接下來的命運，就是破壞、垃圾、髒亂。

現代人時興「小確幸」，一杯咖啡、一處美景都能感動半天，而隨身手機更是走到哪拍到哪。

可是，有多少人覺醒是否把自己的「小確幸」建立在別人的不便上？隨便拍、到處拍、快意拍，是否妨礙到別人？或不經意地毀損了某些東西？

旅遊絕不是湊熱鬧、趕時間、趕時髦，應學著慢遊欣賞、尊重土地、愛護自然。對「伯朗大道」應如此，對原住民豐年祭也應如此。

二〇一四年七月九日　聯合報《民意論壇》

正義就得挨K？

蕭福松／臺東大學教師

媒體連續報導「正義哥」被K的新聞。一是警大退休教授，被「珍珠哥」丟珍珠辱罵；一是律師因糾正堵在巷口的轎車，反被對方踹打。

罵人、打人的都是年輕人，被罵、被打的，一個是教授，一個是律師。他們對不公義之事挺身而出，卻換來「干你屁事」的質疑，最後為彰顯他不是好惹的，就動口罵、動腳踹。

台灣很多縣市自詡是「友善城市」，但事實上一點都不友善。在路上按喇叭，提醒突然閃切進來的機車，或催促前方龜行的車輛開快點，都要有隨時挨K的心理準備。除非自恃拳腳功夫不錯，或自認身材夠魁梧壯碩，否則，面對自私得可以、想怎樣就怎樣的人，除暗罵「沒公德心」、「教育失敗」外，又能如何？

現時社會幾乎都是嗆聲、耍流氓當道，政治人物如此，年輕人亦不遑多讓。教育雖強調適性、自我主張，卻沒教會學生尊重人、遵守法律秩序。生活教養、品德教育無法內化到孩子的價值觀念及行為表現中，必然製造很多有主見、卻未必知禮懂理的「猴輩」來。

最可笑的是，很多惡形惡狀的行為，都是在網路人肉搜索及媒體報導後，當事人懾於輿論壓力，才不得不出面道歉。只是「前倨後恭」的態度，徒然暴露其色厲內荏的怯懦心虛。

希望社會有更多「正義哥」，匡正不當行為。更希望習慣耍酷的年輕人，也學著點謙虛、尊重的待人之道，庶幾減少些不文明畫面。

二〇一四年一月十三日 聯合報《民意論壇》

砸大錢只沸騰一夜

蕭福松／大學教師（台東市）

昨日「名人堂」劉克襄先生〈跨年晚會還要辦下去嗎？〉一文，道出縣市長施政思維的偏頗。只一味在「縣市行銷」、「宣揚政績」及「增加亮點」上下功夫，卻不願多著力在民眾真正期盼的施政上。

花大錢辦跨年晚會，邀請藝人載歌載舞，然後在倒數計時中讀秒、施放煙火，是營造歡樂氣氛，也達到與民同樂及掩飾施政不力的效果。

可是動輒花費上千萬元的歌唱煙火秀，看在兼職超過五千元就得被扣二代健保保費，及時薪調整買不到一顆茶葉蛋的勞工朋友眼裡，做何感想？

老百姓辛苦賺小錢，縣市政府卻闊綽花大錢，花的又不是很必要的錢。一場跨年晚會下來，大把鈔票全進了藝人及經紀公司口袋，縣市長贏得上電視亮相的機會，現場觀眾卻只討個「fu」的感覺。這樣的跨年晚會有意義嗎？值得年年辦嗎？

縣市政府花大錢邀大牌藝人當神秘佳賓、當壓軸，目的當然是希望藉「星光」，好讓縣市長「沾光」，以增加在媒體的「曝光」機會。

只是堂堂縣市長必須沾藝人之光才能「增光」，豈不把自己做小了，也把縣政綜藝化了。寧花大錢請藝人辦跨年晚會，卻吝於補助、扶植地方藝文團體，怎不讓人怨嘆？

現時地方施政最為人詬病之處，就在「永遠挖不完的馬路」和「永遠辦不完的活動」兩大特色。

縣市長都很會哭窮，可是辦起活動來卻不手軟，不禁讓人懷疑，是不是把人民的納稅錢，都拿去做往自己臉上貼金的「燒錢事」？

二〇一四年一月十三日　聯合報《民意論壇》

不給做家事　怎怪孩子不懂事

蕭福松／大學教師（台東市）

高雄市有國中小學向學生收取「廁所清潔費」，引發爭議。其實很多縣市明星國中小，都有類似做法，是否允當，值得探討。

幾年前，市區一所明星國小校長徵詢我，對學生掃廁所的看法。他說，家長會打算出錢外包給清潔公司。我問校長：「您覺得這樣做，好嗎?」校長搖搖頭說：「我認為不妥，畢竟學校是受教育的地方，掃廁所也是學習。」我建議他再跟家長會溝通。

現在少子化，孩子都是家長心中的寶，家事都不讓做了，何況是學校髒汙的掃廁所工作。可是另方面，又有家長抱怨，孩子在家不幫忙做家事，不會體諒父母的辛勞；問題是，家長有沒有給孩子做家事的機會?假使家中的家事都不給做，到學校也不用掃廁所，怎怪孩子不懂事、不會體諒人?

家長以為只要孩子功課好，將來就有競爭力。忽略還有一種競爭力更為重要，就是生活教養，簡單講，就是「晨昏定省，灑掃應對」。

有企業禮聘日本洗廁所專家來台，指導主管洗廁所，體會勞動者的辛勞，學習謙卑感恩，學校卻花錢請清潔公司幫學生掃廁所。箇中道理，或值疼愛小孩的家長們省思。

二〇一三年十一月二日　聯合報　《民意論壇》

不起盜心　靠教育非監視器

蕭福松／台東大學體育系講師

內政部為防範人民「饑寒起盜心」，特別編列二十億元預算，打算在全國各治安重點、重要路口等易犯罪場所，建置監視系統。

坦白說，除肥了相關業者及讓警察更偷懶外，實看不出對改善治安會有多少幫助，反予老百姓監控無所不在的不舒服感。

全球性經濟海嘯所造成的景氣衰退、失業率攀升，沒有理由全怪罪政府，但政府也沒理由「以小人之心度君子之腹」，設想老百姓可能因饑寒而起盜心。

在路口或特種營業場所裝設監視系統，固然有助破案，但絕不是治安萬靈丹，尤不能樂觀期待裝了監視系統後，就沒人敢犯罪，犯罪率就會降低。

政府要做的應是把錢花在刀口上，而非急就章、欲求立竿見影的砸錢救失業率，更不是把人民當虞犯看。生活愈窘迫，愈考驗道德意識和守法觀念。

期待人民不「饑寒起盜心」，需要的是教育、教化，而不是路口監視器。

人民期許的是被信任、被尊重，而不是被當犯罪嫌疑人窺看監視。

二〇〇九年二月二十日　聯合報《頭家開講》

炸寒單　過度誇示　內涵不足

蕭福松／台東大學教師〈台東市〉

很認同十三日洪煌佳教授「炸寒單兼顧文化觀光經濟效益」一文，以一個台東市民的觀點，縣政府若不能從參與遊行的寺廟進行內容改造及文化充實的話，則擬藉由炸寒單民俗，使之成為台東觀光特色的期望，恐將落空。

在發展觀光的大纛下，炸寒單已成為台東近年元宵的重頭戲，不過，長年觀察下來，每年的炸寒單仍不脫打游擊、逞英雄的模式，熱鬧有餘，但內涵不足。雖然地方政府一直想透過文化傳承、觀光包裝，乃至社區意識、社教意義的方式，給予正面形象和實質內容的提升，但成效有限。

首先，炸寒單只能在定點、有限範圍內表演，觀賞者只能近觀，但必須冒著吸入大量濃煙及被鞭砲流彈炸傷的危險。

遠觀者雖無上述顧慮，但只能看到濃煙密佈、火花四射中模糊的寒單身影，可以說，享受電光石火的熱鬧氣氛，遠大於對宗教民俗的體認。

而炸寒的地點，則視商家提供的鞭炮及酬謝的紅包價碼而定，動輒三、五十萬元的大手筆，雖說是越炸越旺，也吸引眾多人潮，但在不景氣中，不無誇示多金利己的炫耀意味，談文化價值似言過其實。

固然炸寒單是台東特有的民俗，但整個活動只見轎夫抬著軟轎漫步繞圈子前行，扮演寒單者則頭綁紅巾、眼戴護目鏡、上身赤裸、下著紅色短褲，全身毫無任何防護，只憑手上一把榕葉扇驅炮兼護臉，之後，就任由底下的炮手丟擲鞭炮狂炸。

一輪十分鐘炸下來，扮演寒單者往往炸得皮開肉綻、傷痕纍纍。

因寒單爺本身既為武財神也是流氓神，炸寒單即為借炸驅寒及尋求贖罪的一種宗教儀式，扮演者正可藉此突顯個人英雄主義。

也因此，扮演寒單者大多是身上刺龍刺鳳的道上兄弟，遊行隊伍中，更不乏穿黑色衣服、理平頭、嚼檳榔的幫派份子及中輟生，炸寒單的文化意義及觀光號召在哪?頗令人懷疑。

即以今年炸寒單，分官方版及民間版，媒體稱之是老少寒單爺經驗傳承的拚場，實則是地方派系勢力的較勁。

一個單純的宗教民俗活動，被過度誇示、過度包裝，欲使其成為特色賣點。但坦白說，若不能從文化內涵著手，則每年看的，仍只是一場鞭炮煙火秀而已。

二〇〇九年二月十四日　聯合報《民意論壇》

失格媒體從文字墮落開始

◎蕭福松

文字做為表達和溝通的工具，不僅傳遞思想也傳達感情，隨著時代的演變，文字也呈現多樣性、活潑性，過去的「之乎也者」，現在可能是「嗯喔呢唄」。

文字的豐富性、趣味性，就在它能隨作者的情感和想像，無限創意地表現出來，但必須是謔而不虐、雅而不俗，方不失文字之美。

遺憾的是，現在很多自喻文字工作者的媒體編輯、廣告企劃，在撰寫文案、下標題時，每以極誇張的字眼或詞句出現，藉以引起觀看者注意。假使題文相符，就算多用些「超特級」形容詞也不算過分，但假使標題和內容是牛頭不對馬嘴、風馬牛不相及的兩回事時，則不僅有欺騙讀者之嫌，編輯的動機和心態，尤屬可議。

有媒體報導，藝人王中平偷養小三的新聞，標題這樣寫——「王中平背她養小三三年！余皓然痛訴拿嘸百萬」。讀者乍然看到如此驚悚標題，直覺是王中平搞外遇，王的老婆余皓然則向媒體「痛訴」，分手費拿不到百萬元，頗有處境堪憐味道。

王中平是個外表憨厚質樸的藝人，不曾鬧誹聞，如此聳動的標題，不正戳破王中平假好男人的形象。然事實真相是，王中平上電視節目，自曝瞞著老婆在廈門當地一家園藝店，看中一棵樹齡已八十歲的杜鵑樹，連續三年都去探望。或許王中平想製造節目效果，故意以「小三」稱之，還誇稱這位「廈門新娘」美極了。

就一棵老杜鵑樹，有必要把它演繹成「小三」、「廈門新娘」，引人遐思嗎？

另則新聞標題是「金主豪撒九十萬，女主播陪玩杜拜十天，一餐要價四千五百元」，望文生義，似乎是愛慕虛榮的女主播陪有錢的金主到杜拜玩十天。

但真實情況是這個「金主」，正是女主播的爸爸，女兒陪爸爸出國旅遊天經地義，編輯卻用「金主豪撒九十萬」這個詞句，又說「女主播陪玩」，怎不讓人有不當聯想？

或許這正是編輯自以為得意的巧思所在，以讓人想入非非、不當聯想的標題，達到吸引讀者目光、衝高點閱率的效果，的確表現了創意，只是在玩弄文字的同時，也玩弄了讀者。

不解的是，這種語不驚人死不休、譁眾取寵的玩弄文字手法愈來愈普遍，儼然成為流行文學，動輒「震驚幾億人」、「千萬人淚崩」，都是如出一轍。

媒體最重要的職責，在提供新聞、傳播知識，也兼具有教育民眾、教化社會的功能，搞到像藝人般插科打諢、賣弄風騷、耍嘴皮子，實有辱斯文，也忽略媒體人該有的風格。

媒體和政客一樣，在民眾心目中信任度都不高，如果繼續以誇張、聳動的標題誘人，或毫無新聞道德的杜撰揑造偏頗不實報導，則毫無疑問的，媒體正自甘墮落中。

編輯為迎合低俗品味所表現的輕佻創意，其實正是台灣社會「集體弱智」的表徵，媒體尚且如此膚淺，怎期望民眾有宏觀視野、高素質表現？

二〇一八年三月二十日《波新聞》

需要神明開智慧嗎?

◎蕭福松

人生最難掌握的是「無常」，生死無常，世事無常。就因無常，所以對天地萬物及大自然的一切，要存敬畏之心，不要妄論人定勝天，或以人的意志及智慧去改變自然。

人的一生也是個「謎」，為何出生當人?人生究竟為何?一直都是人們亟欲探索的問題，然眾說紛紜，百思仍不得其解，於是轉而尋求宗教的指引。

藉宗教「善知識」的啟發引導，找到人生的真理，從而參透擺脫世俗的紛擾糾纏，這應是信仰宗教的初心起念。

不諱言，現在世風日下人心不古，各種傷天害裡、離經叛道的事情無日不有，是人卻做出禽獸的行為，不是人卻比人更好命。逆倫逆行，都讓人困惑世道怎麼了?再加上生命的無常，更讓人徬徨迷惘，信仰宗教乃成了追求真理的唯一途徑。

宗教以誠心正念、慈悲善良為本，不拘泥儀式，也不求繁文縟節，如果心誠意正，慈悲為懷，則縱無宗教信仰，神鬼亦庇佑之。

反之，如果心不正行不端，卻祈求上天賜予高官厚祿，或本身無德行，卻冀求百年之後能成仙成佛，則即使珍饈祭供萬金捐獻，神明亦不屑一顧，神明看重的是善良之人，內在那顆清明的心。

人藉由宗教思考人生議題，進而沉靜心靈、昇華心緒，這是探索生命過程中理性智慧的表現。但如果不修心不修德，只拿香跟拜，滿心巴望天空出現漂亮的彩虹，卻不知自身正處崖邊險境，就顯得愚昧了。

端午節當天，有宗教團體，進入南投杉林溪的松瀧岩瀑布下方，開壇作法沖洗。這群人闖進水流湍急的瀑布正下方跪呼膜拜，當眾更換衣褲，令人瞠目結舌。

這群人要取所謂的「午時水」，稱端午正中午取得的山泉水，放一年不壞也不長苔，還有解毒、消暑熱、治病強身，甚至助發財的功效，真耶？假耶？不得而知。唯一可確定的是，萬一瀑布夾雜石頭沖下，這群人的安全就堪慮了。

在環境清幽的風水寶地禪修作法，在台灣並不少見，且儼然蔚為風潮。好山好水之處，必然也是極佳磁場所在，無論禪修或作法，都有增強能量的效果，宗教人士自然趨之若鶩。

假使一個人靜靜打坐，不妨礙他人，不破壞環境，隨興隨性可也；但若一大群人呼天搶地、燒金紙做法事，不僅影響他人遊興，也破壞自然環境，就顯得不妥了。

宗教不只是信仰，更重生活實踐，尤需恬淡、清明、慈悲之心，唯「定、靜、安」，才能祛除內心的「貪、嗔、癡」，若不能體悟這些，再虔誠亦枉然。

台灣廟會每每發生搶轎、鬥毆情事，不免好奇這些信徒在神明面前逞凶鬥狠，神明怎庇佑？若取午時水能驅厄運治百病，虔誠拜拜就能萬事OK，還需神明開智慧嗎？

二〇一八年六月二十三日「東方論壇」

偏執信仰到不了西方世界

◎蕭福松

台灣可說是諸神薈萃之地，且不說道教上千個神祇，眾生認得幾個，即以媒體和網民創造出來的神級人物，就不知凡幾。

政治人物的突發奇想或神來一筆，不管是作秀還是搞笑，「X神」封號馬上加身。至於演藝圈，女藝人只要敢露、敢秀，「女神」封號必隨之而至。

前述「X神」、「女神」雖被譽為神，終究還是凡人，照樣要吃喝拉撒，倒是另有一種自稱託負天命要來渡化眾生的「神人」，就不可同日而語了。

這種神人巍巍然法相莊嚴，精熟佛法教義，開口閉口因果業障，說得煞有介事。聽者心虛莫名，深怕下地獄，是以天尊、上人、大師、師父滿街跑，信眾前簇後擁，唯恐伺候不周。

宗教信仰，本在尋求心靈的寄託，藉對教義的理解修心養性、了悟世事，以獲致心靈的和諧。如果搞得像藝人般地偶像崇拜，或像北韓人民獨尊金小胖的感恩、讚嘆，就令人匪夷所思了。

不解的是，新興教派的竄起，就像直銷公司的業務拓展，信徒之眾多、排場之浩大、道場之華麗、對師父供養之崇榮，都讓人嘆為觀止。究竟是謙卑向佛？還是虛妄造神？

妙〇之受爭議，無非奢華高調過頭，信徒高呼「感恩師父，讚嘆師父」，果真受之無愧？為何感恩的不是有生養之恩的父母？

信徒跪伏顫抖涕泣，是師父神通感應？或自我催眠？如果信眾本身不具正念，沒能潛心修行，只憑師父幾句不著邊際的話，就以為可消罪愆消業障，則這種贖罪方式未免太廉價。平時省吃儉用，攢錢就為供養師父，自己成了辛苦採蜜的工蜂，猶感恩師父的垂愛，豈非愚昧偏執？

人藉宗教啟發善心正念，經由「善知識」懂得孝親尊長、慈愛子女、友愛他人，愛護所有有生命的生物，這是善念之始。復以虔敬之心敬天畏神、存正念祛惡念、端正舉止，從而促進社會正面能量的提升。

集體催眠式的信仰，或自以為救世主的「神人」，只能說是盜世欺名、愚弄眾生。真正修行得道之人，豈會要求信眾捐獻供養？何況乎豪宅名車。偉大的宗教家，哪一個不是布衣粗食、苦行苦修，引領信徒修心修德，豈有華衣華蓋、要信徒高呼唱喏禮讚的？

至於業障因果之說，莫衷一是，誰都說不準，重要的是內在那顆心是否純正善良？是否無愧天地鬼神？只憑禮讚師父或緊挨師父身邊就想沾光升天，恐是緣木求魚。

尤需體認，人活在現實世界，面對問題、解決問題的還是人，只有透過信仰澄清意念，方能在面對人生難題時，做出理性正確的抉擇，冀求師父救離苦、解倒懸，是不切實際的。

想改變命運，想升天成佛，還是先努力修持那顆「貪、嗔、癡」的心吧！

二〇一七年九月二十三日 「東方論壇」

徹夜排隊只為一碗麵

◎蕭福松

民以食為天，找東西吃是天經地義之事，只不過原來只為填飽肚子的吃，演變到現在，變成是一門藝術、專業，更是很賺錢的行業。

聰明的業者透過廣告宣傳，加上運用飢餓行銷手法，便極易吸引顧客上門。除滿足口腹之欲外，更要讓消費者在吃了之後，有躋身品味、走在時代尖端的感覺。

日本一蘭拉麵台灣首店自六月十五日開幕以來，全天排隊人潮不斷，最高紀錄連續排隊二四〇小時，遠超過香港銅鑼灣分店連續排隊一九六小時的紀錄。

有網友說，凌晨兩點多去排隊，等吃完拉麵出來天都亮了，除讓人讚嘆國人對飄洋過海的外來飲食極度捧場之外，更驚訝慕名者「非吃不可」的堅強毅力，就算花再多時間排隊等候，都認為值得。

值不值得，見仁見智，但為了一嚐夢寐以求的拉麵，竟至徹夜排隊，付出的時間和精神體力代價可謂不小，雖說是個人喜好，但畢竟不是好現象。

從經濟角度及文化信心層面言，國人對日本拉麵破紀錄的熱烈擁護，絕不僅是好奇、嚐鮮的心理而已，既有追求及時享樂的幸福感，更有著濃濃的哈日、親日情結。

不諱言，國人對日本製造的產品，不論是電器、服飾、美食，都特別情有獨鍾，一方面是出於對異國風味的好奇和嚮往，一方面它的產品也確有精緻、獨到之處。

只是在追求「日本製」同時，也無可避免地也落入被制約、宰制的命運。一蘭拉麵在台灣賣的價格遠高於其他地區，服飾亦然，在生活消費上，是不是再度淪為日本的附庸以至殖民地位？

國人動輒大排長龍的畫面，已成很特別的景象。排隊是守秩序的表現，不喧囂、不插隊、不爭先恐後，都是高素質的國民表現。可是，如果是為「吃」而排隊，且連續排隊，一排數個小時以上或更久，感覺就像戰亂難民，等著人家施粥救濟一樣，排隊者自得其樂，旁觀者卻不以為然。

有趣的是，這種排隊等吃的場景越來越常見，越來越普遍，不解的是，真的「非吃不可」嗎？

非吃不可、非看不可、非聽不可、非買不可，都是強烈的「匱乏心理」所致，催動沒日沒夜、不眠不休的排隊瘋。是製造商業景氣的繁榮假象，然在奢華的表象底下，卻是一顆只會迎合時尚的虛無之心，註定是生意人眼中待宰的肥羊。

正如台大教授李茂生所說，台灣人真可憐，吃日本人不太吃的東西，還在那裡稱讚。他感嘆，同樣的價錢，在台灣應可吃到更合理、美味的食物。

愈缺乏文化底蘊的社會，愈容易出現「盲目從眾」行為，寧犧牲睡眠徹夜排隊，也要一嚐日本拉麵美味？這種只圖一碗麵的「朝聖」跟風，似反映國人的人生價值，只剩小確幸。

二〇一七年七月八日「東方論壇」

放生積德還是害人損德

◎蕭福松

人有好生之德，對萬物所受苦難，皆能抱持感同身受之心，這種慈愛之心，既來自天生本性，也受宗教慈悲教義影響。放生動物鳥禽，率皆出於此動機，並由此衍生尊重生命、保護生態的觀念。

放生如出於慈悲善念、隨機隨緣、不求回報、不求功德，善行是值得肯定的，功德也定萬倍於有形財物的奉獻。但假使放生是為積功德，藉以要求上天給予回報，動機隱含「貪求意念」時，則不僅無功德可言，甚至因放生不當，反造成動物鳥禽生命的傷害，及對生態環境的破壞，甚至威脅人群聚居所在，實是罪過損德。

有宗教團體在台東活水湖旁的生態池，野放俗稱吳郭魚的台灣鯛。荒謬的是，消息經網友在臉書傳開後，不少民眾聞風而至，不大工夫，人手一桶滿載而歸。原希望借放生存活的台灣鯛，瞬間成了免費的加菜鮮魚，全進了五臟廟，本欲求其生，如今反害其死，究竟是愛之？還是害之？

放生的本意，是把受困或受傷的動物鳥禽，幫其脫困療傷，使其性命得以保全、再獲重生。如果牠本來活得好好的，卻把牠抓來或花錢去購買，再易地幫牠找新家，嘴上說是放生，實則是放死。放生之人只顧自己的功德，不考慮生態及環境適應問題，豈是慈悲？

放生是基於惻隱之心，看到動物鳥禽受困受傷，及時伸出援手解救，應是隨機隨緣之舉，刻意造做或把它儀式化、宗教化，則不僅放生意義全失，隨手行善之功德也變得世俗化、商業化，豈不可笑？

如果功德可「價購」，人只要花錢就可買功德，還需宗教教化勸善嗎？

放生本是隨機隨緣之舉，弄得花錢買一大堆魚鳥來放生，不啻鼓勵濫捕濫抓，製造「放生魚」、「放生鳥」，也無異增加撈捕及販售之人的罪孽。為成救自己的功德，反害人去造孽，能謂善舉嗎？

而原本活得好好的魚鳥，為了被放生，都成了無辜犧牲品，放生做到這種「為放生而放生」地步，敢稱是功德嗎？

最要不得的是，將劇毒眼鏡蛇隨意棄置山區野放，造成山區居民被毒蛇咬傷事件頻傳，也搞得居民人心惶惶，果園不敢去，連進家門也提心吊膽。

苗栗縣泰安鄉後山地區部落，最近飽受眼鏡蛇侵擾之苦，原來有宗教團體在部落附近丟包「三個麻布袋」的毒蛇。這種只顧自己功德，不管別人死活的「偽善」放生，神明會認同嗎？

人的功德是來自內在的慈悲善念，及平時待人處事的修為，是否孝順父母、友愛他人、熱心助人？是否心誠意正、端正做人、正當做事？

如果心不誠意不正，又不循正道，只巴望老天庇佑，則縱然放魚千尾、放鳥百隻，亦難謂功德，何況以鄰為壑，更是罪加一等。

二〇一七年六月十日「東方論壇」

失格媒體造就沒品藝人

◎蕭福松

臉書上流傳一則笑話，柯南老了要做什麼工作？答案是：計程車司機。因為他推理嚴謹（推~李妍憬）。一件藝人酒後搭計程車的糾紛，竟能成為電視頭條新聞且連播數日，不是事件本身重要，而是媒體借題發揮，想衝收視率。

新聞構成的要件之一，便是衝突性，若加上主角具知名度，媒體更會加以誇大渲染，增加新聞的可看性。問題是藝人酒後和計程車司機互罵互毆的事件，值得媒體一再報導、重播嗎？

藝人李妍憬日前和計程車司機爆發口角肢體衝突事件，媒體根據網友提供的影片，今天擠一點，明天再擠一點，表面稱要還原事情的真相，其實是歹戲拖棚。

這種把瑣碎小事當重大新聞處理的做法，證明媒體不用心，毫無內容、深度、視野可言。連帶的，也讓天天接收這種低品質新聞的國人跟著無腦、目光如豆，缺乏評斷大是大非的能力，更無法培養恢宏胸襟氣度。

李妍憬和計程車司機衝突一事，凸顯兩個爭論點，一是藝人的社會角色，一是媒體的社會功能。藝人必須靠媒體的吹捧才能出名，媒體也最喜歡拿藝人的八卦、緋聞、糗事，當消遣、消費的題材，可說成也媒體敗也媒體。

台灣最吃香的行業當屬演藝業，只要冠上「藝人」頭銜，就如同天之驕子、天之嬌女，都成了眾多庸俗男女欽羡仰慕的偶像。藝人如能意識到自己是公眾人物，動見觀瞻，自應在言行上自我要求，既涵養德行修為，更可建立良好社會形象。

可惜台灣藝人普遍恃寵而驕，憑著漂亮臉蛋、姣好身材，仗著幾分名氣，就自以為是人中之龍、人中之鳳。不讀書、不求精進演技也就算了，更多人以上夜店、PUB為能事，不出事才怪。

出了事，一貫伎倆就是在媒體面前聲淚俱下、鞠躬道歉，希望能博得原諒，只是老招用多了，常讓人搞不清到底是真悔過？還是演假戲？

至於媒體則抱持見獵心喜心態，想的是如何譁眾取寵、衝高收視率？事件本身有無新聞價值？對社會有無不良影響？是否有違社會教育功能？都在所不問。

商業利益掛帥下，新聞走羶腥色路線，又極不用心地炒短線，不是與友台共享新聞，就是擷取網路訊息，再不便是酒駕盧警察、超車糾紛、夫妻吵架、情侶分手、小吃美食、藝人花邊等雞毛蒜皮事，觀眾看多了，怎會長知識、增智慧？

其實很多國際政治、兩岸關係、經濟走向、觀光發展、生態環保、教育政策、民生物價、吸毒犯罪等議題，更值得大家關注，可是媒體卻偏愛藝人八卦。然經常傳播沒營養新聞的結果，就是讓國人更加弱智及短視。

媒體未善盡社會責任，敢自稱「守門人」嗎？算不算失格？

二〇一六年十一月五日　「東方論壇」

媚俗媒體造就低智商社會

◎蕭福松

現代人獲得訊息，不但迅捷便利而且量特別多，但哪些是有用的？哪些是垃圾？這不僅關乎閱聽者的媒體素養，更在於媒體提供什麼樣的訊息給社會大眾？

大陸一位學者在演講中提到，台灣是一個封閉的小島，資訊雖然多，卻都是垃圾消息，只要在台灣待一個月，人肯定會變傻。

無獨有偶，美國《外交政策》期刊，也批評台灣媒體濫用新聞自由，又煽情媚俗，把閱聽大眾變成僵屍。文章指出，除非閱聽大眾改變消費習慣，否則台灣下一代只得繼續忍受「腦殘式新聞的疲勞轟炸」。

外媒旁觀者清，自觀察入微，看到台灣媒體的亂象與對社會的影響。對這樣的直言批評，或許有人不以為然，可是檢視台灣的媒體現況，似未言過其實。令人好奇的是，台灣媒體是抱持什麼樣的動機和心態在經營？

是啟迪民智提升素質、倡導倫理移風易俗、明辨是非奠定價值、崇尚法治建立秩序、開闊視野增廣見聞？或煽惑民粹分化社會、鼓吹奢靡腐化人心、顛倒是非混淆黑白、鄙棄傳統崩毀價值、窄化識見自我麻痺？

媒體除提供新聞資訊娛樂外，也兼負教育人民、監督政府、守護社會的功能與角色。遺憾的是，新聞傳播愈開放自由，媒體愈背離新聞道德與責任，不是甘做政治打手，就是淪為商業的附庸，電視媒體尤其如此。

台灣很小，電視頻道卻特別多，號稱整點新聞，實際卻不到四十分鐘，都被廣告填滿了。報導則多是車禍、酒駕、打架、旅遊美食、藝人八卦等瑣碎新聞，真正有價值的新聞少之又少，國際新聞更付之闕如。如此電視新聞，怎期待國人有知識、有見解、有國際觀、具國際視野？

又為了迎合年輕人口味，不斷報導流行時尚、美食小吃、手機遊戲，鼓吹小確幸，介紹好吃好玩的。如此媒體，怎期待下一代會有理想、抱負、雄心、鬥志？

最不堪的當屬名嘴現象，談話性節目本是探討公共議題的論壇，也是言論開放、新聞自由的指標。但演變到現在，卻變成是名嘴及政客說三道四、黨同伐異、信口雌黃、大放厥詞的垃圾場。

名嘴賺了通告費，電視台賺了收視率，卻讓社會付出分歧、對立、衝突的代價，社會的和諧互信、國家的競爭力，也都在名嘴逞口舌之能下，一點一滴流失。大陸學者及外媒認為台灣民眾看多了這種垃圾訊息會變笨變傻，顯非無的放矢，因為台灣人再沒有時間和空間去接受有深度、有價值的新聞資訊。

媒體常以文化先鋒、資訊擁有者及社會改革者自居，卻又不願發揮教育、教化、守護、監督的功能。一味政治化、商業化、庸俗化的結果，就是讓台灣社會更加墮落、弱智、低能。

二〇一六年九月三日「東方論壇」

寶可夢——現代版的魔神仔

◎蕭福松

台灣有句俗諺：「人在牽不走，魔神仔在牽扣扣總（急著跟）。」拿來譬喻「抓寶族」瞎闖亂竄景象，頗有幾分相似。

傳說中的魔神仔是出現在人煙稀少的偏僻山區，現代版的魔神仔則出現在人口密集都會區。傳說中的魔神仔餵人吃泥土、蚱蜢、青蛙、芒草，現代版的魔神仔則餵人吃卡比獸、快龍、皮卡丘、大蔥鴨。傳說中的魔神仔被引喻是為喚醒人與大自然的關係，現代版的魔神仔則驗證遊戲可以癱瘓人性、迷亂人的心智。

寶可夢推出以來，席捲全球且魅力難擋，吸引人的程度，遠遠超過人們對Fb及Line的依賴。還不僅於此，抓寶族自然群聚、集體著魔的癡狂狀態，幾至廢寢忘食、渾然忘我境地。

美國時代雜誌（TIME）一篇關於台灣「寶迷」瘋狂追寶的報導。影片中，上千民眾如同難民大逃亡般，不約而同往同一方向奔跑，被TIME譏諷簡直就像世界末日。文中指出，這種人群一窩蜂現象，通常只在「馬拉松比賽或要逃離異形入侵與恐怖攻擊」時才會出現，然北投公園卻如實上演此情景，就為了抓卡比獸。

寶迷們邊走邊玩，連騎車、開車也玩，公園、漁港、美術館……，只要有寶可夢的地方，就是玩家出沒的所在，違規停車、亂丟垃圾、擾亂住家安寧也隨之而來。對玩家來說，就為了抓寶；對商家來說，人潮帶來商機；對保守者言，憂心玩物喪志；對新潮者言，趕上潮流還可融入教學。

各種正反解讀，都代表不同的動機和喜好，不過，需探究的是，從寶可夢遊戲中，人獲得什麼樣的知識及資訊科技啟發？或僅僅只為破紀錄或炫耀抓到多少隻？只當之是消遣好玩？還是沒日沒夜窮追猛抓？

尤其要省思的，在追逐過程中，是自覺還是不自覺？是自主還是盲從？付出的時間和精神值得嗎？

青春是人一生當中最寶貴、最活躍的時期，但活躍應是用在追逐夢想、實現夢想，而不是花在盲目的追隨流行上。年輕也容許錯誤，但偏差價值觀和好逸惡勞心態，卻更讓人容易陷入錯誤，導致不堪後果。

生活中，值得追求的東西很多，寶可夢雖然帶來新奇、驚喜、小確幸，卻付出寶貴時間和有限生命的代價，如同被魔神子牽引，尤屬不智。玩家自以為是抓寶高手，實則是被遊戲軟體的設計者所操控愚弄。隨便加個補給站或任意改變一下程式，「彈指之間」就可讓很多人為之神顛瘋狂。

「業精於勤而荒於嬉」、「役物而不役於物」，雖是句老話，但拿來惕勵生活中，只剩手機和抓寶任務的寶迷們再貼切不過。

不希望台灣成為低智商社會，不希望下一代沒有競爭力，玩寶可夢就適可而止吧！

二〇一六年八月二十七日　「東方論壇」

豈可對「狗兒」無禮？

◎蕭福松

狗是人類最忠實的朋友，網路上常見人狗互動的溫馨、逗趣畫面，很令人讚嘆狗的靈巧貼心、善體人意。

就現實論，狗的看家護主功能漸失，取而代之的，是心靈的撫慰和實質的陪伴。除具特殊用途的狗，如警犬、導盲犬、緝毒犬、搜救犬、牧羊犬外，大部分的狗都被當成寵物看待。公園、遊樂區、百貨公司，常見年輕人娃娃車推進推出，裡頭放的不是小娃兒，而是「狗兒子」，令人啼笑皆非。

狗確實帶給現代人很大的精神安慰和生活樂趣，因之，不把狗當狗，是愛的回饋，也是人道精神的延伸。但假使把狗兒當祖宗伺候，不准打罵外，連「稱呼」也不能帶有歧視意味，就顯得矯情、愛心過頭了。

台電核二廠被民眾爆料，指張貼禁止餵食流浪狗的公告，使用「野狗現形」、「野狗遠離」字句不當，是丟台灣人的臉。還反批評核二廠人員「是被輻射燒壞腦袋嗎？」、「最該驅離的是核電廠？」、「一個國家進步與否，就看他們如何對待動物」。害得廠長不得不出面表示歉意，並立即撤下引起愛狗人士不滿的公告。

核二廠的本意，是希望愛狗人士，不要餵食聚集在核二廠附近的流浪狗，以免狗隻愈聚愈多，影響安全。但因出現「野狗」兩個字，又用了一連串的的「byb」和「讚」，被愛狗人士認為有歧視、侮辱流浪狗之意，憤而向媒體投訴。

媒體一報導，沒事也變有事，小事也變大事，但整起事件怎麼看，就是無稽、無聊。「野狗」、「流浪狗」、「棄犬」的稱謂，一如對「遊民」、「流浪漢」、「街友」的稱呼一樣，本質不變，只是好聽一點。「流浪狗」流浪久了，野性萌生，自然變成野狗，責怪廠方歧視狗，是丟台灣人的臉，未免小題大作。

流浪狗的問題，一直糾結在動保人道與環保安全的爭議上，但除非不隨便棄養，並有人願意收容流浪狗，否則，任意餵養，只會讓流浪狗問題愈難處理。有些縣市已明訂不得隨便餵養流浪狗，違者將予開罰，已讓流浪狗麕集情況有所改善，也減少攻擊人事件。

核二廠公告，因用了「野狗」二字，就引來愛狗人士撻伐，反映極少數人自以為是的偏狹人道觀念。而罵人比罵狗還兇、更具情緒化的用語，尤突顯無厘頭的「理盲濫情」。

英國一處牧場遭野狗闖入，造成一一六隻綿羊因驚嚇衝撞死亡。根據當地法律，牧場主人只要發現狗隻驚嚇羊群，便可開槍射殺，若造成羊隻損失，還可向狗主人求償。

在國外，對野生動物的狩獵活動從未停止，國內動保團體可有積極反制作為？敢對外發聲、嗆聲嗎？

核二廠只一張「勿餵食流浪狗」的公告，就被罵的狗血淋頭，豈不冤哉枉也！

二〇一六年四月九日　「東方論壇」

何必「老孫到此一遊」？

◎蕭福松

《西遊記》裡有這麼一段故事。

孫悟空遇到如來佛祖，向佛祖誇口說：「我老孫隨便翻個筋斗就十萬八千里，祢敢跟我比嗎？」

佛祖笑回：「你若翻得過五指山，就算我輸，翻不過，算你輸。」老孫二話不說，縱身一躍，翻出去了。

翻了好久好久，終於落地了。心想這一翻，少說也超過十萬八千里，只是眼前怎豎著五根大柱子？剛好尿急，就在中間大柱下便溺，尿畢，隨手把如意棒變成毛筆，在柱上題字：「老孫到此一遊。」然後，再一個後滾翻，翻回如來佛祖面前，得意洋洋地說他贏了。

佛祖微笑著沒答腔，只張開左手掌，老孫一聞有尿騷味，再一看上面竟是他的題字，墨跡還未乾呢！這下不得不服輸了。

「老孫到此一遊」，不僅留下翻不過五指山的證據，也儼然是遊客在風景區題字留名的濫觴。

古代騷人墨客喝了酒後，詩興大發，常會在酒樓亭閣，即興揮毫題詩，留下千古佳作。但人家是詩人，肚子有墨水，加上名氣夠大，題字不但不是亂塗鴉，還被視為墨寶，傳為佳話。

現代人普遍使用電腦慣了，少寫字也寫的不好看，卻偏偏喜歡到處留名。假使在餐廳、小吃店，由商家提供的白板、牆壁上題字留名倒也罷了，若在廟宇、古蹟、風景區，對著牆壁、岩石、樹木、塑像、木雕，大喇喇留下「XX到此一遊」，或畫心形圖案表示「此情永不渝」，都是十分幼稚、膚淺的行為。

不否認，人都有想「揚名立萬」的潛在心理，就算不能成為家喻戶曉的知名人物，好歹也要在某些可以運用的地方留下名號，好證明地球上還有他的存在。於是走到哪留名到哪，不僅破壞文物自然景觀，也招來不文明、沒公德心、沒素養的批評。

南迴公路台東、屏東兩縣交界處的壽卡鐵馬驛站，外牆掛著兩幅代表排灣族圖騰和勇士的木雕，都被環島單車族及遊客的簽名「淹沒」了。色彩豔麗的圖騰和浮雕上，滿是遊客留下「到此一遊」的筆跡，讓文化工作者大表不滿，認為是對原住民文化最大的不敬和傷害。

豈止是對文化景物的不敬和傷害，簡直就是作賤自己的人格和人品。若真有本事，名氣夠大，大名墨寶早就被鐫刻在巨石岩壁上供人瞻仰臨摹，何需從眾湊熱鬧地找縫隙留下「污名」？

人想成名不難，不是幹壞事就是做好事。要別人記得自己也很簡單，總得有讓人欣賞、肯定、懷念之處，縱使自謙毫無功德可言，最起碼做個本份之人亦可。

在不該留名的地方留名，突顯的是自卑又不甘籍籍無名的矛盾心態。

把粗魯愚昧的塗鴉之舉，當作是旅途的美好軌跡記憶，就像老孫自大、隨地撒尿又愛亂題字，徒貽笑大方而已。

二〇一五年十一月二十一日「東方論壇」

別讓「弱勢」成了無法翻轉的宿命

◎蕭福松

有立委指出，弱勢生入學在公立大學占比僅九％，私立技專則高達二三％，凸顯社會級距愈來愈大。為此，教育部訂定「鼓勵提升弱勢生比率」計畫，台清成三大學也推出「希望計畫」、「旭日計畫」、「成功起飛計畫」，為弱勢生廣開大學之門。

教育是翻轉命運最好的途徑，教育也是最公平的，只要努力用功，每個人都有機會在各自領域發揮長才，擁有自己的一片天。

然而，原本可各憑藉資質、努力達成的教育理想，卻在一大堆專家學者的理論實驗下，不斷地調整轉型，最終變成只剩考試升學的荒謬現象。

就現狀看，教育已不全然是教育，當它變成是一種商機時，教育的內涵便完全變質。不少學生的好成績，是靠砸錢補習拚來的，這些成績好的學生有更多機會進入公立大學。相對的，家境貧困及特殊境遇的學生，就只能唸學費更貴的私立技專，社會貧富的差距，乃愈形擴大。

為幫助弱勢生進入頂尖大學，教育部可謂用心良苦。但究係出於鼓勵？或同情心理？降低入學門檻，增加錄取名額，是真平等？還是假平等？都不無疑問。

尤應探討「弱勢」是什麼？由誰來定義？以什麼標準定義？並且「弱勢」，真的就是弱勢嗎？

「弱勢」是社會階級的標籤？還是補助救助的分類？被冠上「弱勢」二字，是無奈的尷尬？還是欣然的竊喜？

台灣社會處處充滿愛心，這種基於「人饑己飢，人溺己溺」的慈悲善心，是令人感佩的。可是在傳達愛心、表現善行的同時，普遍都存有想把愛心立即付諸行動的急切感。於是在主動尋找援助對象的情況下，自然概括出因交通不便、文化刺激不足而定義出來的「城鄉差距」；也找到因地處偏遠、社經地位低、家庭收入差，而認定的「弱勢」來。

這些被認定是「弱勢」的大人小孩，莫名其妙地被同情、被施捨。弔詭的是，有越來越多的人，甘於承接這樣的標記，因為有了「弱勢」這個標籤，就可獲得濟助，非但不以為恥，甚至抱持「不拿白不拿」心理。

只是在坐等別人施捨同時，也喪失了本身的鬥志毅力，養成不想工作、不事生產、伸手待援的依賴心態。貧窮不可恥，可恥的是，拿貧窮當不努力的藉口。

媒體也慣以「弱勢團體」、「弱勢族群」，虛偽表達同情立場。然過度突顯「弱勢」的結果，不僅製造社會對立，也造就更多不思上進、不願承擔責任的弱勢來。

當濟助來得太容易時，「弱勢」便成為怠惰的代名詞，排擠了真正需要幫助的人。貧窮並非宿命，就算窮也要窮得有骨氣，被當弱勢或以弱勢自居自憐，是無法改變命運的，唯堅苦卓絕、自立自強，才能翻轉人生。

二〇一五年十一月十五日　「東方論壇」

國家圖書館出版品預行編目資料

戳牛皮這檔事 / 蕭福松著. -- 初版. -- 臺北市 : 博客思出版事業網, 2023.05
面； 公分. -- (當代觀察 ; 12)
ISBN 978-986-0762-45-7(平裝)
1.CST: 言論集 2.CST: 時事評論
078 112004445

當代觀察 12

戳牛皮這檔事

作　　者：蕭福松
編　　輯：楊容容、塗宇樵
美　　編：塗宇樵
封面設計：塗宇樵
出　　版：博客思出版事業網
地　　址：臺北市中正區重慶南路1段121號8樓之14
電　　話：(02) 2331-1675 或 (02) 2331-1691
傳　　真：(02) 2382-6225
E - MAIL ：books5w@gmail.com或books5w@yahoo.com.tw
網路書店：http://5w.com.tw/
https://www.pcstore.com.tw/yesbooks/
https://shopee.tw/books5w
博客來網路書店、博客思網路書店
三民書局、金石堂書店
經　　銷：聯合發行股份有限公司
電　　話：(02) 2917-8022　　傳真：(02) 2915-7212
劃撥戶名：蘭臺出版社　　帳號：18995335
香港代理：香港聯合零售有限公司
電　　話：(852) 2150-2100　　傳真：(852) 2356-0735
出版日期：2023年5月 初版
定　　價：新臺幣290元整（平裝）
ISBN：978-986-0762-45-7

版權所有・翻印必究